알맞은 그늘이 내가 될 때

한이나 시선집

서정시학

시인의 말

시詩가 처마 밑
쌓아놓은 장작더미 같다
흰 밤, 마음이
보다 가지런해져서 떼쓰는 시간을
보살피고 다독이며
들여다보고 쓰다듬고 옮겨 보았다

내 손에 붙들려 온 나뭇조각
돌멩이 하나
에밀레 종소리의 혼잣말로 건네는

날짜 변경선 저쪽에서
실눈을 뜨고
내가 나를 가만히 바라본다

그믐달과 초승달 사이
삼십 년도 넘은 오래된 소리 듣고 있다
고요의 둘레 쪽으로 몸 기울어져
언 바람 녹이는 시 백 편 저 소리를!

2024 봄날 한이나

시선집, 시 사랑 그리고 마무리

차 례

시인의 말 | 3

1부
『물빛식탁』(서정시학, 2022)

저, 푸른꽃 | 13
맨발 구두에게 | 14
이층 바다 교실 | 15
너의 정원 | 16
물빛 식탁 | 17
12각돌의 생 | 18
바람의 책 | 20
노독路毒 | 21
ㄱ의 순간을 지나다 | 22
서대문형무소역사관에 서서 | 23
너라는 귀신고래 | 24
아득한 묘법 | 25
해국 주상절리 | 26
높이뛰기 | 27
거울 속 한 송이 꽃 | 28
알고 싶지 않은 마음 | 30
책을 불태우다 | 31
직지, 길을 묻는다 | 32
벌레가 질문하는 밤 | 34
춤 없는 가장무도회 | 35
밤의 피라미드 | 36

2부
『플로리안 카페에서 쓴 편지』(서정시학, 2019)

파도 식당 | 41
진흙소설 | 42
탑은 나의 새 | 43
벌레 자서전 | 44
먼지의 시간 | 45
갈.색. | 46
아바나 말레콘 | 47
파랑의 형식 | 48
화석, 침묵 혹은 뜨거움 | 49
색경色經 | 50
주황 | 51
나에게 건배 | 52
새와 함께 | 53
파미르 | 54
환생의 방식 | 55
박씨공방의 목가구 | 56
폐사지에 와서 | 57
그리움의 온도 80도 | 58
침향 | 59
벽암록 읽는 법 | 60
흰 그림자 | 61

3부

『유리 자화상』(시와표현, 2016)

붓꽃 춤 | 65

파릉의 취모검 | 66

책들의 둥지 | 68

걷는 독서 | 69

산 위의 바다 1 | 70

하조대, 소나무 | 71

고인돌 그 아래 | 72

알맞은 그늘이 내가 될 때 | 73

나는 언제 날지 | 74

유리 자화상 2 | 75

낙타를 타고 | 76

나의 사막 | 77

모래 여자 박물관 | 78

데자뷰 | 79

북극성 | 80

화엄 발자국 | 81

4부

『첩첩단풍 속』(문학아카데미, 2012)

청호반새, 저 꽃잎 | 85
번개 낙관 | 86
푸른 사과의 의자 | 87
버들잎 관음도 | 88
부처 눈사람 | 89
새들의 상처 | 90
보르헤스의 의자 | 91
고래 시인 | 92
난설헌 | 93
사랑 | 94
정남진 시 | 95
다선일미 | 96
나를 씻는다 | 97
벼를 기리며 | 98
작약 한 잎 | 99
문을 품다 | 100
느릅나무 환생 | 101

5부

『능엄경 밖으로 사흘 가출』(문학세계사, 2007)

만어사萬魚寺 종소리 | 105
부석사 일몰 | 016
명약名藥 | 107
내 앞의 생 | 108
울음방 | 109
그리운 섬 | 110
바다 도서관 | 112
대꽃 | 113
능엄경 밖으로 사흘 가출 | 114
심죽心竹 | 115
천장天葬 | 116
어머니와 재봉틀 | 117
먹참선 | 118
갠지스강의 화엄 | 119
위험 수목 | 120
시인의 변신술 | 121

6부

『귀여리 시집』(현대시, 1999)

『가끔은 조율이 필요하다』(문학아카데미, 1992)

춘설차春雪茶 | 125

아궁이 앞에서 | 126

씨앗 저장고 | 127

버튼을 누르다 | 128

귀여리 마을에 와서 | 129

속리俗離 | 130

봉산산방 | 131

얼음 강물 위를 걷는다 | 132

서서 하는 독서 | 133

내 마음의 12지신상 | 134

별은 이곳에 와서 뜬다 | 136

투루판의 포도 | 137

옥천, 수묵담채 | 138

돌 거울 | 140

해설 | 고요한 마음이 파동처럼 그려낸 예술적 원형들 | 유성호 | 141

1부

『물빛식탁』
(서정시학, 2022)

저, 푸른꽃*

초록에 어둑살 깔리는 서하리
푸른 빛의 키 작은 꽃
너른 산비탈을 가득 채운 푸른꽃

가까이 다가가면 모습이 변해
더는 거리가 좁혀지지 않는
너는,
가까이서는 볼 수 없는
다가가면 멀어지고 마는 시간의 꽃
먼 생 숨은 사랑,

이랑마다 흙 속에 심어져
저 전심전력,
고랭지 비탈에 피어난 시간이 멈춘 사랑

숨 쉬는 잎과 잎 사이, 겹겹의 속살들
바람개비가 돌리는 밭둑 돌멩이의 온기,
꿈속에서 완성된 너

푸른꽃을 만난다

---

* 푸른꽃: 독일 시인 노발리스의 미완의 소설로 낭만적 이상의 상징.

맨발 구두에게

흙먼지 뒤집어쓴 채 닳아 코 깨진

구두 한 켤레

차마 마음에서 버리지 못한다

마음속의 다른 길 허공을 걷는 나인 것 같아서

낡은 구두 한 켤레로 돌아온 골목

만 리 밖을 보려 떼어놓던 붉은 발자국들

녹슨 철문 밖으로 내놓질 못한다

맨발 구두는 내 혼이 묻은 살점 같아서

이층 바다 교실

흰 운동장 너머
남해바다 한 쪽이 정답다
바다가 있는 이층 교실 풍경
몇 걸음 내달리면 닿을 아름다운 거리
내 스무 살 시에 그린 꿈의 자화상

바다가 없는 곳이 고향인 나는 꿈의 바다 대신
상춧잎 같은 산골 처녀 선생이 되었다
들판에 들꽃 지천인 봄날 때 씻긴다고
우루루 줄지어 아이들 냇가로 몰고
지루해진 오후, 냉이꽃과 싸리나무와 종달새
그리려 자주 언덕에 올랐다

뽀뽀한다고 달겨들던 코찔찔이 1학년 철이랑
가난해도 의젓했던 화전민 반장 준이는
너른 세상바다에서 무엇이 되어 있을까

폐교로 만든 진도 시화박물관에서 다시
씀바귀 잎 같은 선생 노릇이나 해 볼까
이층 바다 교실 창가에서, 우두망찰
바다를 향해 온 맘 활짝 열어놓고
씌여지지 않은 시집을 읽는다

꿈의 전구 15촉에 반짝 불빛이 켜진다

너의 정원

뒤늦게 따로 거처를 만들어 나가며

그녀가 말했다

고요의 끝 책 속으로 갈래요

나만의 벽이 있는 어떤 삶

은밀한 기쁨을, 알아차려 볼래요

사랑할 때 가장 아름다운 새

극락조를 꿈꾸는걸까

이슬만 먹고 살아 깃털이 아름다운 새

외로운 날엔 조금 더 멀리 날아보렴

나는 너에게 정원을 바칠게

물빛 식탁

그녀가 물의 정원 나무 그늘에 식탁을 차렸다
눈앞 강물이 반짝이고 풀밭은 초록의 그림자
우리만 나이를 한참 먹었다

진심을 차린 우리들의 싱싱한 식탁
찰진 이야기 술술 풀려나오는
물빛 사월 만찬인 듯

오늘 하루 나를 낭비하지 않기로 했다
너무 힘껏 살지 않기로 했다

계단이 없는 평평한 물의 정원 저 푸른 그림자의 풀밭
나무 그늘에 누워 하늘을 독차지한 게
오늘 내 전부
아무도 슬프지 않아 지루한 내 생의 정점

그림자의 그림자인 내가 웃는다
죽은 친구는 저승 벌판 헤매느라 오지 못하고
오래 펄럭였던 얘기 한 줌 바람으로 정결했다

12각돌의 생

여럿이 함께 나는 혼자였다

혼자서 보고 혼자서 만져 본
쿠스코의 한때
저 신비한 담벼락 12각돌의 골목길을
서성였던 적 있다

12번 각이 꺾이는 생生
바람이 드나들 면도날 틈새도 허락하지 않는
봉인된 입들의 시간

잉카인들은 문자도 기록도 남기지 않았다
천의 고원 바람 되어 티끌로 사라졌어도
담벼락 돌로 울음을 대신 말하는

나는 무엇으로 바람의 흔적을 남길까

아귀를 잘 맞춘
쿠스코의 담벼락이 되어
돌의 등 뒤 배면이 되어
골똘히 생각하는 자줏빛 주름들의 저물녘

혼자가 깊어질수록 무너지지 않을 이름 하나 모퉁이 머릿돌에 새긴다

바람의 책

책이 내는 진사빛 바람의 말을 듣고 있다

바다와 습지와 비탈과 능선을 넘어
만난 적 없는 다른 시간의 사람과 연결통로인
한 권의 책으로 도달한 소슬한 길

시공간 너머 튤립 입술이 들려주는

모음 자음 낱알의 씨앗들, 그 비밀통로
갈기를 날리는 문장을 듣는다

내 바람의 책에는

언제 누가 들어와
나라는 사람을 만날까

노독路毒

물에 파묻힌 길 찾아
구례 산꼭대기 사성암 절로 간 소들

새벽마다 울려 퍼지던
사시 예불 목탁소리의 진동과 진폭을
뜬잠에 자주 들었음이야
마을 외양간에서 통증을 잊고 위로를 받았음이야
장마에 둑 무너져 물바다 된, 혼몽 속
축사 탈출해 장대비 맞으며 오산 자락에 오른
한 무리의 소 떼

아랫마을에서 한 시간 뚜벅뚜벅 걸어 왔을까
간전면에서 문척면까지 이십 리 떠내려가며 헤엄쳐 왔을까
목마름에 찾던 53 선지식 비로소 약효를 알았는지
누구 하나 절마당에서 뛰놀거나 울음소리 내지 않고
얌전히 쉬다가 떠났다

세상의 한끝에서 마음의 등불을 찾아
어두워져서야 빈손으로 내려왔던
사성암 산속의 먼 길
굽이도는 구름길

소들도 그 어둠을 믿음으로 건넜으리

ㄱ의 순간을 지나다

푸른 칠판에 분필로 여러 개의 ㄱ을
겹쳐 쓴다
ㄱ ㄴ ㄷ ㄹ ㅁ
내 입천장에 닿은 소리
입술을 스치는 소리

머무르고 싶은 기억 점의 순간들을
달팽이 걸음 내딛으며
몸으로 그려낸 소리 마음들을

기억의 팔을 뻗어 쓰는 나의 시
무수히 적고 무수히 폐기하는
종이 위의 사랑

쓰였다가 지워지며
공간과 시간 너머 더욱 뚜렷해지는
완전한 사랑

오래전 사막으로 나뉘어 몸은 멀어도 맘은 가까웠던
흩날리는 모래알처럼 서걱이던
내 말들을 다시 꺼내 본다

서대문형무소역사관에 서서

푸른 하늘 아래 침묵이 무겁다

깊은 방에선 울음도 먹빛이 되어
영혼마저 온전치 못했으리
고된 몸 모로 누일 틈새 자리도 없이
무거운 눈꺼풀 덮었을 저들
더딘 시간 모독만 붙잡았을 저들

열망을 잃어버린 낮달의 한 조각 꿈
들끓던 제 안의 혁명
생의 무게도 의미도 하얗게 탈색된 채
구멍 뚫린 둥근 어둠 속

내가 없음의 북쪽을 바라보았으리
한 생이 풀 한 포기의 견딤이었으리

전생의 힘까지 보탠 쇠잔한 몸
꿈 밖으로
깃을 치며 날아갈 채비하는 동안 닿았을
시린 고독이 높다

너라는 귀신고래

고래를 찾아 장생포로 무작정 떠난다

정말 고래를 만날 수 있을까, 멀리 가까이
파도를 뒤적이는 눈길들이 매섭다

하늘과 바다의 파란빛에 들어있는 저 흰빛
순결과 공포의 색
모든 색의 시작이며 끝인 색
죄없이 바다에 수장된 영혼의 그림자

포경선을 타고 망망대해, 내가 찾아
나선 것은 귀신고래
물 위로 딱 한 번 솟아올랐다가 깜쪽같이 사라진
너라는 붙잡히지 않는 미래

포경선에 포획된 것은 빈 투망에 걸린
은빛 물살 한 조각
아득한 손님 같은 아직 도착하지 않은 사람
내가 꿰뚫어 보아야 할 파도의 벽

아득한 묘법

허공 한지에 고백처럼 선 하나 내리그었네

거친 생각이 무심한 듯 허공에
빗발치는 선
수도승처럼 수천수만 번 붓질하면
얻어질 반야의 저 색채요법

저를 비울수록 색이 깊네

내 안의 말을 줄이고
들끓는 색을 지우고
한밤내 긋고 또 긋는 붓질

자신의 모든 걸 바치는
패랭이꽃 치자꽃 자연을 닮은 묘법의
한 획

나 절필해도 좋으리

해국 주상절리

어머니 사십구재 끝에
경주 양남의 누워있는 주상절리에 내렸네
한참을 멈춰 바라본 이천만 년 전의
부채꼴 주상절리
만개한 해국海菊 꽃잎이
바다 위에 환하게 펼쳐 있었네
심해에서 거북이 등을 타고 어머니
이곳에 미리 와 계셨네
해파랑길 해상절리의 파도소리
오래 적막했던 생전의 상처가
눈물 같은 포말로 반짝이고 있었네
뼛속까지 파고드는 칼바람에도
어머니 슬픔 만개한 해국으로 피어 있네
파도 위에 누워있는 주상절리에 와서
세상의 모든 슬픔처럼 사랑의 인사를 건넸네
상처도 아름다운 훈장이었기를

높이뛰기

마지막 담판을 던진 승부수

있는 힘껏 물살을 차고 솟아오른

딱 한 번의 발버둥이

허공이라니

허공의 구름이라니

청초호 제방 위에 내동댕이쳐진 슬픈 아가미

볕살에 바짝바짝 목타다가, 소신공양

적멸에 이르는 먼 길

어머니 물고기의 한 생

다음 세상으로 훌쩍 건너간 높이뛰기였다

반야용선을 타고 가시라 물속에 가만 넣어 드렸다

거울 속 한 송이 꽃

누구를 닮은 것일까
아버지의 아버지, 어머니의 어머니
그 아득한 연결점의 누군가를 허공에서 꺼내본다
그는 어떤 사람이었을까

한 번도 보이지 않은 사람 아버지, 거울 속 나를
뜯어보면서
그 누군가의 성향과 정서와 용모
그 무엇이 그에게서 내게 전해 왔는지
자식에서 자식 다시 자식까지
뿌리를 내려다보며 기질까지 낱낱이
유추해 본다

내 안의 피와 살과 뼈를 준 숫자와 기호들
살아 무성했을 말과 공허했을 몸짓들

전전긍긍 여기까지 무사히 온 것만도 덕분이라고
물결무늬 감정이 레테 강으로 도망가지 못하도록
은총의 실마리를 찾아 간신히 바늘귀에 꿰어놓는다

누구를 닮은 것일까
어떻게

꽃 한 송이로 피어 있을까
나는

알고 싶지 않은 마음

모자와 몸통 사이에 떠 있는
흰 구름은
알고 싶지 않은 내 마음
그림자의
나는 텅 빈 백지로 이루어진 편지
두루말이 종이 속 뭉게구름을 따라
흰 그림자로 느리게 흘러간다

시간을 멈추어
알고 싶지 않은 마음*이
따라오지 않도록
깊은 순간들, 그늘에 쉬어간다
눈 감고 귀 닫고 입 닫고

알고 싶지 않은 마음과 그림자 사이에서 나는 서성인다
모자와 구름 사이를 거닌다

---

* 레나다 살레츨의 책 제목.

책을 불태우다

삼십여 년 책이 땔감으로 쌓였다

벽이란 벽을 다 차지하고 푸른 고집으로 버텼던

자진이라도 결심하듯
내리 사흘 사정없이 마구 버렸다
두고 읽으려 마저 읽지 못한 아까운 글귀
한밤중 이슥토록 잠 못 들며 쏟아부은 만 개의 잡념들
한순간 잿더미 될 불쏘시개감으로 남았다

먼지를 버리고 또 버리면서
나를 들켜 유리알처럼 창자까지 내보였던 일
까무룩 책들의 혼절이 보였다

마니차를 돌리듯 맨 아래 책에서 위의 책까지
손길이 닿으니 온전히 다 읽혀졌을 것이다
내 살과 피와 보석이 되었는지, 나는 알지 못한다

이생의 허무한 몸짓들
그러나 너무 소중해 깨물고 싶은 페이지의 순간들
나는 참으로 화려하게 살았구나

책더미 일곱 지게 세상 바닥에 짐짝처럼 부려놓고

직지, 길을 묻는다

직지심경直指心經은 오래된 유적 마음의 길이다

청주 나들목에서 강서동 반송교까지
플라터너스 가로수길,
고향을 내달릴 때 가벼운 마음이 한 걸음이다

철당간을 지나
무심천을 건너
구부러진 골목과 산책로를 휘돌아 가면
고려의 직지에 닿을까, 흥덕사에서 찍어낸
세계 최초의 금속 활자본
칠백 년의 숨결을 맡을 수 있을까

글자의 마음 心에
닿을 수 있을지 길 속의
길을 묻는다

종이를, 쇠와 불을, 먹을 다루던 조상의 엄한 손길
글자 한 자 틀릴 때마다
마음 졸이며 혹독했을 정신의 치열함
누대로 전해진 어둠 속 심법心法

사람의 마음을 맑고 바르게 보면 얻어질
마음공부를 되뇌인다
집으로 돌아가는 길이 환하다
직지의 슬픔과 자랑이 무심천 가득 윤슬로 반짝인다

벌레가 질문하는 밤

칸트는 그림자도 없다

시냇가 모래밭과 풀섶을 온통 뒤져도 보이지 않았다
책 속을 기웃거리고 고개를 젖혀 별을 올려 보아도
다른 길의 깊이와 높이의 시간이 가늠되지 않았다

지나온 사랑과
앞으로의 희망에 기대어

몇백 년 만에 목성과 토성이 달에 가장 가까운 밤

허공이 길을 불러내어, 풍문 속
사색의 문을 열고 들어가
벤치에서 책 읽고 있는 그의 동상 옆에 앉았다

어둠 속에서도 '실천이성비판' 글자가 또렷이 보였다

나는 누구에게 최고의 선한 삶이었나, 벌레가 질문하는 밤
별빛들 나를 향해 눈빛을 반짝인다

춤 없는 가장무도회

모두 초대받으셨군요
오늘의 드레스 코드는 마스크랍니다
흰색 검은색 파란색 꽃무늬
잊지 못할 너와 나의 연결고리지요
외로움과 두려움의 얼굴을 가리고
저마다의 염려를 가리고
그래도 오늘밤은 춤을 추지 맙시다
아름다운 거리를 두고
우리 눈빛으로만 말을 합시다
손을 잡지 않아도 마음만 주고받읍시다
벽의 거대한 괘종시계가 열두 번 종을 치더라도
검은 옷의 못 보던 사람이 시계 밑에 서 있어도
더는 불안해 말아요
삶과 죽음의 교차점에서 가슴을 쓸어내려도
검은 손길 피할 수 없다고
함부로 발설하지 맙시다
슬픔은 더한 슬픔으로 맞서
봄꽃처럼 막 피어날 희망의 꽃눈을 봅시다
사랑을 하고 싶은 사람들만 모이는 가장무도회랍니다
그래도 오늘밤 아무도 춤을 추지는 맙시다

밤의 피라미드

기자 사막에 세워진 비밀기호
죽었어도 몸은 영원히 그대로이기를 바라는
피라미드

담요를 두르고 전망계단에 앉아
사람 머리에 사자 몸뚱어리인 스핑크스가 되어
빛으로 쏘는 거대한 피라미드 사각뿔을 바라 본다

사막 모래밭에 가부좌를 튼
선승 같다
우주 원리를 꿰뚫어 교감하는,

생멸이 꿈이고 환상이고 물거품이고 그림자다*

영원한 것은 현재
살아도 어렵기만한 세상이라는
질문의 책에서,
스핑크스의 수수께끼를 이제야 겨우 풀어내
남은 목숨 부지해 볼까

북극성을 찾는 황금나침판

---

* 금강경.

하늘로 오르는 사다리 피라미드

모래 우는 소리 듣는다

2부

『플로리안 카페에서 쓴 편지』
(서정시학, 2019)

파도 식당

겨울 바닷가에서 혼자 그네를 탄다

수평선 밖으로 몸을 밀어주는 해풍
엉킨 마음 들키지 않고 함께 걸을 수 있는
노랑부리 갈매기

지치고 허기 들면 바다를 배경으로 둔
허름한 파도식당에 찾아들어
파도자락을 끌어당겨 끓인 곰치국
같은 친구를 앉혀놓고
낮술로 기나긴 회포를 푼다

귀를 씻고 물고기 말씀을 들을 수 있는 오후 세 시
바닷가 뒷골목 파도소리 들리는
주문진 파도식당

파도는 물결을 타고 넘어, 먼 길로 흘러간다

진흙소설

영혼의 자유를 물고 가는 코뿔새를 보았다.

새끼를 낳기 위해 큰 몸 구겨 들어앉은
생목生木의 바오밥나무

황금빛 부리에 뿔과 깃털을 가지고도
나무 속 어둠에
스스로 요새 한 채 짓고 두문불출이다

비행깃털도 다 빠져버린 채
나무구멍 속 깜깜한 날들을 견딘다
나무의 진액 그 뼈로 쓴 시간 한 권
살에 새겨 넣는

지평선 울퉁불퉁한
세렝게티 푸른 대평원 너머

너에게로 날아가는 소울 메이트다

탑은 나의 새

탑은 날지 못하는 새

그는 길고 긴 폭풍우길 번개길에도
외로움을 안쪽으로 가두고 서 있는 그림자
설움도 켜켜이 쌓아 삭힐 줄 아는 질그릇
상처마다 사리를 품고 생멸을 견디는 고요

탑이 되기 위하여
진흙을 밟고 선 연꽃 받침대 위에 나의 영혼을 얹고
일곱 마디뼈를 일으켜 세우는,
탑 뒤로 내 몸 그림자 길게 기울어진다

내일이란, 탑 앞을 흘러가는
저 가벼움의 흰 구름

무한허공을
무심히 떠가는 한 마리
새가 된 나의 탑

벌레 자서전

붉은 열매 산사나무 밑
초록벌레로 잠들다
겨울 썩은 낙엽더미 속
땅속 내 방 어둠에 누워
초록벌레의 꿈을 꾸고 싶다
무지개에서 떨어져 나를 알아보지 못할
변신도, 두렵지 않고
뼈와 살을 갉아먹는
굽이길 바람길 헤매도 겁나지 않는,
향기 머금고
하늘까지 닿고 싶다

황홀이여 아득하여라

봄으로 날아간다

호접몽 속 길이며 이름이며 문이 되어

먼지의 시간

나는 먼지의 시간이다

눈 깜박할 사이
손가락 한 번 튕기는
숨 한 번 쉬는 티끌의 순식간

어느새 서쪽으로 된바람이 급히 길을 건너고
천변의 찬 물줄기는 시린 발목 적시며 겨울로 간다
물속 두 발 담근 채 우두커니 재두루미
어금니 깨문 수천 리 비행,
진사 빛깔로 환하게 날아오른다

먼 길 떠난 사람들이 보인다 명, 승, 창
그들의 책을 열면 다녀간 울음의 흔적들이
붉디붉은 열매로 맺혀있다

나는
한순간 먼지의 집을 버리고 떠돌다가
어느 마을 호롱불 밑에 가볍게 착지할 것이다
땅속에 내린 뿌리 나의 끝으로

먼지의 시간이 되어 다시 날을 때까지

갈.색.

나무의 갈색에서 선의 색깔을 본다
갈색은 절정을 휘돌아 나와 본래의 진면목을
보여주는 늦가을

불문곡절 혼자 튀어 주목받지 않아도 좋은
나무감정을 추스려 내공을 쌓은 기도
정서를 풍요롭게 만드는
내면의 아름다움이 짙어지는 찬란
점잖게 늙은 느티나무의
말 없음

벼를 다 베어버린
들판의 텅 빈 충만
공空에 이르는 길,

괜히 쓸쓸하여도
때가 되면 회자정리를 하는 이의 색
비워져 다시 돌아오고자

아바나 말레콘

저녁 어스름

아바나 말레콘은 곡선이다

진홍범벅으로 들끓는 바다의 시간,

새들 가던 길 멈추고

허공에서 귀 기울이는 재즈 한 자락

축축한 초로의 사내들 몇몇 모여 길 위에서 연주하는

배꼽에서 끌어올리는 눈물빛 그리움

쿠바의 길고 깊은 말레콘

슬퍼져 잠들 수 없는

선線 선

그리움이 뼛속 한 그리움에게 다이얼 돌리는

〈여우와 까마귀〉앞 공중전화 부스, 빨간

파랑의 형식

파랑은 바닷가에 두고 온 사랑의 형식
울트라마린에 0.1프로의 기쁨을 섞으면
가장 밝은 파랑이 되고
99.9프로의 우울을 섞으면
가장 어둔 파랑이 된다

나는 해변의 길 잃은 구름
진한 슬픔 청색시대였다가
파랑을 찾아 꿈속까지 뒤지는 일

사랑하지 않으려고 애썼던 마음

세상이 온통 파랗게 보이는
산토리니의 둥근 지붕, 론강의 밤하늘
슬픔에 잠긴 성모마리아가 기도하는 모습
저 파란 망토까지,

파랑의 기쁨과 우울을 딱 절반씩 섞어
파도마다 날려 보낸다
감정을 걷어내면 남는 것은 파랑 안의 흰색, 순결무구

화석, 침묵 혹은 뜨거움

공룡 발자국 따라 걷는 오늘은 몇 리일까

상족암에서 덕명리 해안까지
병풍처럼 펼쳐진 주상절리 아래
비릿한 멸치향과
몽돌밭의 파도소리가 배어있는 화석이 당신인지?

두려움의 빗장뼈
슬픔의 무릎뼈
사랑의 복숭아뼈를 스친 마음 밖

퇴적암 돌 위에서 당신의 발자국을 읽는다

점박이 타르보 사우르스 공룡이 남긴
발자국 위에 내 발자국 포개 본다
화석이 된 당신의 흔적 위에 남겨질 내 숨결

그리움의 물때를 잘 맞춰 고성을 찾으면
구름 같은 시간의 눈먼 사랑을 만날 수 있을까?

색경色經

이제 나는 어둠 속에 있기를 희망한다
가장 까만 검정색은
섭씨 천 이백도
슬픔의 불을 태운 자만이 얻는 색경

죽음 같은 통점
가장 까만색을 알아버린 사람만이 얻는
황홀한 절망, 색의 경전

나오니 삶이요 들어가니 죽음이다

노자를 읽는 밤,
허공에서 길을 찾는다

주황

두려움의 매혹이다
길 위에서 만난
절벽에 세워진 사원
생애의 가장 눈부신 하루를 뽑아낸 색깔이다
못 하나 박은 일 없는
나무기둥으로 지어진 영혼의 절 한 채
마당에 올린 허공의 꽃
상처를 빼닮은 능소화
혼자 불타다가 목을 꺾은 슬픔이다

리오의 아름다움에 흠뻑 빠진
빵산의 핏빛 노을
채워도 채워도 배고픈 허기며 갈증
접어둔 사랑, 죽기 전에 고백하고 싶은
눈물 나는 용기다

깜깜한 나락,
치명을 묻힌 독화살

나에게 건배

그때가 오면 묵묵부답 백지가 되어야지, 지상의 빛깔과 향기마저 다 지워야지, 또 다른 세상 시간 밖으로 꺾어져 시작하는 거야, 아무도 모르게 바다에 나가 몸 기울여 물금을 긋는 거야, 이쪽과 저쪽의 경계 오래 바라보며 순종과 초월을 새겨야지, 무無자를 허공에 흩뿌리며 한 줌 미소를 보탤 거야, 그러면서 나를 데리고 모래사장을 끝까지 한 번 걸어 봐야지, 못 박았던 날도 꽃 피었던 날도 환한 광채였어, 꿈같이 짧은 감격이었어, 혼자 백치처럼 웃다가 백지 되어 중얼거리기도 하겠지, 도착하지 않은 날들 속 눈부신 햇빛 쪽으로 조금은 쓸쓸히 걸어갈 거야, 등을 보이며 점으로 사라질 때까지

새와 함께

억새풀꽃 눈처럼 날리는
남강 늦가을 속으로 새 한 마리 날아간다

청동기 시대 돌널무덤 앞 돌솟대
오천 년 돌에 갇혔다가, 새가 되어
산그늘 산허리를 뭉텅 베어내며
세상 빠져나가는 중이다

깃털의 먼지와 제 몸의 한 송이 추억까지
죄다 떨쳐내고, 바람에 몸 맡긴 채
새 한 마리, 하늘의 넓이를 재며 날아간다
내 안의 새도
뼈와 살과 어둠을 덜어내고
몸 가볍게 가볍게
찬 물빛 하늘 끝까지 날아오른다

제 안에서 분홍 가슴 깃털 고운 새를 꺼내는
오후 네 시,
다리 없는 천상의 검은 새가 되어
물억새 그림 속을 날고 또 난다

파미르

세상의 지붕 위를 떠가는 한 조각 흰 구름

부처님 자리, 구름 같은 먼 그리움

혜초가 천축으로 불경을 구하러 떠난 막막함의 길

독수리 산까마귀 늑대와 더불어 고산식물의 꽃밭을 지나

해발고도 오천 미터의 산맥,

바랑을 지고 지팡이 친구 삼아

그는 기필코 저 설산을 넘었으리라 파미르 파미르

외부가 내부에 닿지 않는 황톳빛 땅

저 산맥들 바라보며

나도 오늘은 세상의 한랭 건조한 고원을 걷는다

한 고비 그리움도 서러움도 넘어야 도달할 서방정토

파미르가 흰 구름으로 피어난 만다라 꽃 같다

환생의 방식

사고로 맞바꿀 뻔한 죽음 찰나의 그날

비단이 스쳐 바위가 닳는다는
한 겁, 한 생이
고요히 저문[illegible]

낙뢰가 모래밭에 꽂힌다
우루루 우루루 길 밖으로
파도를 몰고

소라의 귀를 막는다
물고기 지느러미를 건드리는 고래의 입을 막는다

수평선 너머 천리안의 눈을 감으면
긴 울음처럼 멀리서 밀려오는
막무가내 하루

난기류의 물살 시퍼런 목숨을 건넌다

태풍이다
한 겁이다

박씨공방의 목가구

소목장 박씨는 먹감나무 밑동을
방에 들이고 함께 잔다
벌레 먹고 벼락 맞고 천둥에 속이 썩어
아름다운 무늬를 남길 줄 아는 먹감나무

한 달 열흘
나무의 숨소리를 듣고 제 숨소리를 들려준다
결마다 새겨진 나무의 전 생애,
함박꽃문紋 나뭇결에 소리를
멕여야 한다
수천수만의 잎새에 귀를 달아
제 살 속에 새겨넣어야 한다

소목장 박씨는
옹이를 중심으로 흘러내린 나이테 결을 쓰다듬는다
깎고 문질러 벼린
경첩과 백통장식 그리고 동자와 쇠못으로 멋을 낸
감물빛 나비비밀 머릿장

숨을 불어넣은
방안 머리맡이 환해진다
또 다른 세상 다른 길, 환생의 무늬를 꿈꾼다

폐사지에 와서

양양의 미천골 폐사지 앞,

산 아래 대홍수와 산사태로 매몰되어
혼자 남은, 삼층석탑 사지
절터에 무너져 뒹구는 와당瓦當의 슬픔들
서늘하다

귀꽃 구름무늬 새겨진 8각의 석등,
암키와 수키와를 얹은 팔작지붕도
소리가 없는 법고 목어 범종도
모두 자리를 잃고 천년 입을 봉했다

기둥과 서까래와 대들보를 잃고
주춧돌만 남아 그림자로 빈 절을 지키고 있는
외진 폐사지,

여기저기 폐허를 서성이다가
당간지주 되어 내가 한나절 울음처럼 서 있다

그리움의 온도 80도

지리산 화개골 삼태동의 밤하늘
먹빛광목 한 필에 시계꽃별 좌르르, 한바탕
꿈을 펼쳐 놓았다
화장을 지우고
세속의 냄새를 지우고
곡우 이전 내 손으로 딴 야생차나무 어린 찻잎을
밤 이슥토록 덖었다
이슬 마른 후의 아침 연둣빛 생잎속살
하루 볕살에 시들리고 그늘에 시들려
독을 빼낸,
녹찻잎의 순한 시간을 덖었다
뗣지 않은 그리움의 온도 팔십 도,
무쇠솥에 푸른 잎새의 추억을
두 손으로 움켜 떠 뒤집고 비비었다
은근한 열기도 모이면 뜨겁다
열상에 데이기 직전 한순간에 손을 빼야 하는,
사월의 우전차 그리움의 향기 덖기
덖는 향 속에
너의 얼굴이 떠올랐다
그리움의 푸른 것들은 끝까지 색을 놓지 않는다

침향

물에 묻은 나무
천년 흘러 어둠빛 향으로 고이더니
다시 숨을 쉰다

죽었던 나무의 몸에서 피가 돌아
목숨을 싹 틔우는
환생의
베어진 향솔 상처의 저 생살,

꿈꾸며 견뎌온 물속의 시간과 향기의 시간을
몸에 새겨진 물의 지도를
가물거리는 기억의 한 끝을 붙잡고, 천신만고

머무는 꽃도 새도 바람도
물의 지도에 영혼의 향기를 보탠다

살아있는 것들은 따듯하다

벽암록 읽는 법

산청의 정취사를 보려고 내달렸다 가파른 내리막길 꺾어드니 기암절벽이 길을 막았다 이끼가 뒤덮은 바위는 한 권의 책, 읽다가 포기하고 내동댕이친 벽암록이었다 푸른 바위에 새긴 글을 눈 시리게 바라보았다 하나를 보고 반도 모르던, 그림자도 헤아리지 못하던, 제 어리석음에 주눅 들다가 덮어버렸던 무수한 책장들, 다시 정신줄 세워 십 년 반복해 읽으면 캄캄한 글자가 내 안으로 들어올까 내가 글자가 될까 아득한 하계를 내려다보며 뉘우침과 하심을 따라가 보면 마음이 바다가 되어 받아들이지 못할 게 없으리 손을 놓쳤던 벽암록이 대낮에 불을 켜 길 따라오라 손짓했다 겹겹의 준봉들 아래 정취사 한 채 공중에 떠 있었다

흰 그림자

겨울 자작나무 숲 집필실
흰 그림자 감았던 눈 번쩍 뜨게 한다
나무 한 그루 문장 하나
수백 그루의 문장을 썼다가 또 지우며
백지 속으로 가는 길을 잇는다

우랄산맥 오지로 숨어든 유리 지바고
종잇장에 새기는 영혼의 글자들
눈보라 치는 설원에서 눈꽃 속으로
가뭇없이 사라지던 이별 마차
라라를 사랑하지 않으려고 애썼던
혁명가의 차가운 열정,

겨울 숲속 자작나무로 가는 길은 라라의 울음소리에 닿는다
서른다섯에 죽은 유리 지바고의 흰 그림자처럼

사랑의 혹한을 한 겹 새하얀 껍질로 버틴다

3부

『유리 자화상』
(시와표현, 2016)

붓꽃 춤

붓 끝에서 피어나는 묵향

만연체의 붓꽃,
가만 한 손을 들었다 놓고
남색 치마 아래
외씨버선 코 보일락 말락
마음절벽에서 써내려 가는 붓글씨

슬픔의 내장량 하나
드러내지 못하고

느릿느릿, 새가 되어 날아가는
울음

산 하나 옮겨 적는다

파릉의 취모검

칼날 위에 머리카락을 올려놓고
입으로 불면 끊어지는
취모검,
잡풀 무성한 마음까지도 쓰윽 슥
단칼에 벨 수 있는
세상을 살리는
활인검

쇳물이 되었다가 뜨겁게 열 가한 칼날이
도라지꽃으로 푸른빛을 띨 때
때려 펴고 갈아주길 무수히 반복하면
고통의 한 가운데
녹슬지 않을 금강의 시간들

언젠가의 생애에 내 한 번은
대장장이 곳집의 칼이었을지도
칼의 잔혹한 말을 견디며
더 나은 삶을 위해 바치는 또 다른 눈부심
기묘한 아름다움의 칼들
제 마음을 무수히 베이고서야 한마음을 얻는 칼자국들

속이 하얗게 빛나는 잘 벼린 칼의 날을 맨손으로 짚고

고요히 목숨을 건넌다

나는 나를 잊는다

책들의 둥지

단양 숲속 아늑한 책들의 집
비포장도로 울퉁불퉁한 산길 내려서면
오래된 낡음이 모여
숨을 쉬는 곳

글자들의
낭랑한 저 목소리
행과 행의 줄을 팽팽하게 잡아당겼다가
툭! 놓으면
날아갈 듯 가볍게 평화가 되어버리는
저 생각 한 줄, 산새가 되어
오래된 책 위에 둥지를 짓고
새끼를 친다

한때 감정에 북받쳤던 글자들도
책방 밖 개울 흐르는 소리를 베고
곤히 잠이 든다
책 속에 고여 있는 무거운 고뇌 한 짐
슬쩍 내려놓고*

* 새한서점(고서점).

걷는 독서

바람이 부드러운 해거름 무렵
나는 걷는 독서를 한다

히잡을 쓴 열다섯 살 소녀 누비아가 되어
당나귀에게 풀을 먹이며
밀밭 사이로 얇고 깊게 스며든다

흙의 향기와 밀의 수런거림과 새의 지저귐이
책에서 줄맞춰 뛰어 나온다

하루의 끝을 짚으며
나를 밀어내고 들어앉은 남이 나로 바뀔 때까지
무거운 책 속의 다른 길을

걷고 또 걷는다

내 몸의 아픔도 잊고 밀밭 사이로 걷는 독서
저 진흙세상에서 마악 빠져나오려는

산 위의 바다 1

귀 열고 둘러보면 주위에 무수히 널려있는
검儉자 품品자 보랏빛 도장 하나

볼품없는 몸의 시시껍절한 생이
복어였던 듯 무당벌레였던 듯
뒤바뀐 몇 구비 전생
속으로 들어가 보니
왜 태어났냐고 왜 꽃 피었냐고
구불구불 산모퉁이 길바닥 위에
신비한 하늘 구름 문양을 그려놓고
마음을 수평선 너머로 끌어당기고 있다
너 어디 있는지 아느냐고
바다의 질문이 물너울처럼 쏟아졌다
산 위의 바다에 서서, 바람의 도장
쾅 쾅 쾅 맨몸으로 맞고 있다

내 밖의 나
나를 아름답게 길들이고 싶은 거기

내 생애에 받은 적 없다

하조대, 소나무

금방이라도 바다로 굴러떨어질 듯 아슬하다 절벽 위 소나무, 입을 앙다물고 서 있다 너른 바다가 호곡장인 양 한바탕 울다가 먼 수평선을 바라보면, 눈물 같은 솔방울 뚝 뚝, 기암괴석 절벽 아래로 곤두박질쳐 다른 세상으로 가고자 했을 것이다

기진한 몸이 바위 절벽에 선 비탈 더는 물러설 곳도 없는 천지다 파랑波浪 설움 한 덩이를 발끝에 누르고, 그는 바다를 힘껏 허공 쪽으로 끌어당겼다

어둠으로 뭉쳐진 슬픔덩어리
생이라는 화폭 위에서 솔잎의 하루가
남은 날의 절반을 흔들며 지나간다

고인돌 그 아래

고인돌 아래 잠든 이 누구신지

기억이며 소리며 향기를 비끄러매어
날아가지 않도록
덮개돌 얹어놓은, 저

햇빛과 별빛 사이

아늑한 곳의 묘실,
우뢰와 번개와 눈보라에도 끄덕없게 괸
화강암의 생각들

두런두런 내 말소리 발자국 소리에

삼천 년 돌의 시간을 뚫고
시간 여행자 되어, 순간 이동으로
고려산 산기슭 이 빈 들에 오셨으면 싶은

죽음의 입구를 지키는 고인돌,

다시 태어나 맘속 기억도 빛이 들어 반짝이는 어둡이게

알맞은 그늘이 내가 될 때

삼십 년 된 목백합 한 그루가 창을 가린다

내가 오두마니 앉아있는 그늘의 집에 그가 낮에도 불을 켜라고 성화다 그는 조금의 어둠도 참지 못하고 불을 켜는 사람, 나에겐 불 밝혀 어둠을 몰아내는 그가 있다 그늘에 상주하는 내가 있다

나는 녹색의 장원에 꽁꽁 숨어 등뼈가 굽었다 푸른 그늘로 뒤덮여 조금은 어둡고 침울한 집, 환한 햇살에 칸칸이 슬픔을 알몸으로 내보이지 않아서 좋다

알맞은 그늘이 내가 될 때

불운도 시샘 안 하고 비껴갈 푸른 잎사귀 그늘의 집, 행여 뼛속 저 깊은 곳 또아리 튼 슬픔이 도질까

세상과 대적하지 않고 창밖 숲속 쪽문을 가만히 연다 내 안의 다른 길, 비밀의 정원 행간을 풀어 읽는다

나에겐 어둠을 내쫓는 그가 있고 그늘을 찾아 앉는 내가 있다

나는 언제 날지

날지 못하는 새가 빼곡이 들어찬 새 전시장
유리 진열대 안을 들여다 본다

발 색깔이 파란 푸른 발 부리새
가장 빨리 달리는 새 로드러너
선인장에 둥지를 틀고 사는 선인장 굴뚝새
다른 새의 먹이를 빼앗아 먹고 사는 갈라파고 군함조
저마다 표정과 몸짓은 다르지만
제가 떠나온 둥지를 추억하고 있다
한 그리움을 물고 언제고 날아갈
만반의 채비를 갖추고 있다

돌 위에, 나뭇가지 위에, 땅 위에 앉아
숨을 고르는 저 정적
수상쩍다 박물이 된 몸
그러나 이승과 저승은 한 끗 차이
오늘밤 날개 펴 다시 날아오를지도 모를 일이다

습지를 지나 사막을 지나
산맥을 넘어 열대 우림에서 갈라파고까지
밤새 내 머리맡을 지날 때는

딱 한 번씩만 새들아 제 울음을 울어주렴

유리 자화상 2

성에 낀 유리벽에 기대어
바깥세상을 보고 있었어
여기는 이 세상의 어디쯤일까

나였던 그 아이
단발머리 소녀가 오래된 떡갈나무로 서 있고
산비알에 앉아 뭔가를 끄적이고 있어
맘은 늘 먼 데 하늘가 뭉게구름을 데불고 노는

창틀 안과 밖의 틈 사이
용케도 이겨낸 눈부신 기적, 여기 있음은
네 덕분이야 한 뿌리로 묶은
유리가 끌고 온 햇살의 따듯한 온정

그건 성에 낀 유리창에 손가락으로 꾹 꾹
글자를 눌러 쓰던 일이야
속이 보이지 않는 그리움을 뼈아프게 호명하는 일이야

꿈속에서조차 한 번도 모습을 보여주지 않는, 내 삶에
지나가는 사람처럼 달랑 사진 한 장으로만 남은 사내
감히 사랑해도 될까

낙타를 타고

멀리 돌아오고 싶은 날이 있다

다른 세상, 다른 시간, 다른 나를 위해
고행도 자청하여
모래폭풍 온몸으로 흠씬 두들겨 맞으며
낙타를 타고 떠나고 싶다

모래언덕 두 개 넘어 방향감각 상실로
길 잃는다 해도
더는 두려워 않고 쌍봉낙타를 탈 것이다
이제 배짱도 자산이 되어 맨몸으로 떠나도 좋겠다
낙타의 눈과 코와 귀가 되어
지치도록 발굽을 끌며 가야 할, 길 아닌 길
아무도 못 찾는 타클라마칸 사막에서
절반의 나를 놓아버리고 잊어버리고
굽고 굽은 길 되감아 나오겠다

따지지 않고 긴 길로 떠나고 싶은 날
이층 속눈썹의 눈이 선한 낙타 목놓아 부른다
금방이라도 되새김질하다가 히아~ 히아~
울음소리 내며 달려올 것 같은,

어느새 모래바다로 떠나기 위해 내 앞에 등을 낮추는 사랑

나의 사막

내가 몰래 숨겨 가져온 사막
눈을 감고 들어가면, 훤히
바람의 무늬며 몸의 곡선, 생각의 속살
열어 보이는 나의 애인
고운 모래의 능선 아래 숨어 있는
우물, 낙타풀, 사막의 장미도 찾을 수 있고
모래무덤에 파묻힌 수많은 병사들의
칼 가는 소리도 들을 수 있다
그들의 아름다움이거나 섧은 마음에
슬몃 별빛 마냥 닿아 보다가
사막에 사는 나무
쇠양, 호양목, 홍류나무를 그리워하다가
낙타의 육봉肉峰에 새겨진 물의 나침반을 읽다가
책상에 그대로 엎드려 잠이 든다
한 발자국 디디면 반 발자국 아래로 미끄러지는
모래산을 오르고 오르다가
목마름에 지쳐 눈을 뜨면, 그리운 것은 바로 눈앞에 있다
사막에서 돌아와 나는 매일 사막에 산다

모래 여자 박물관

악기 박물관의, 가슴뼈에서
꺼낸 물감상자들

흐린 얼굴로 심금을 긁는 극저음의 첼로
파란을 가라앉히며 저녁 길을 떠매고 가는 콘트라베이스
물밑 모래 우는 소리를 밟고 낮게 길 떠나는 피콜로
수백 년 물굽이를 놓치고 이으며 서쪽으로 가는 오보에

오로지 자신의 몸통을 울려 꽃 피어나는 소리의 향기
살이 모래로 부서져, 사구에 닿아, 모래 여자로 쌓일 때까지
나의 아다지오에게 가는 먼 길

가슴뼈에서 꺼낸 물감상자 색색의
내가 아끼는 물의 협주곡

악기 박물관의, 가슴뼈에서
꺼낸 물감상자들

데자뷰

언젠가 살은 적 있던
내 마음 끝자락에 닿아있던 산등성이 마을
해발 1,100m 안반데기 운유길,
딴 세상의 봄은 더디 오고
겨울은 서둘러 시작되는 곳
왼종일 돌맹이 고르고 흙 부수고 눈 녹여 먹고
소처럼 등짐 지어 노동을 살았던, 원시의 마을에서
애환의 몸에 씌워진 멍에로
감자꽃과 고랭지 채소가 활짝 피어난다
다락밭 바람을 싣고 풍차가 돈다
바람개비처럼 젖은 꿈속을 씽씽 달리는
화전민들의 눈물로 고랑을 이룬 땅이 고맙다
돌아보면 아무것도 경작하지 못하고
맨손 맨땅의 흙으로 돌아갈 내가
참으로 가엾어지고 부끄러워지는 날,
육십만 평 너른 땅 앞, 한 줄기 바람으로 서서
깊게 목례를 준비한다
전생의 어느 한때처럼 긴 그림자 익숙한 발자국으로
다시 너를 찾으리라

북극성

(아들의 파란 오리털 잠바를 가져다가 주었다)

오후 여섯시
그는 지하철 돌층계 위
박스로 종이 집 지을 채비를 한다
순박한 얼굴이
고향 흙담벽 시골집에서, 삽 들고
농사로 정직을 경작할 딱 그 모습이다

꿈의 씨앗 심어도 손가락 사이로 빠져나가던 헐값들,
더는 땅심으로 버틸 수 없어 도시의 난민이 된
그에게 돌아갈 들녘이며 처마는 없다

노숙의 꿈마저 얼어붙을까 으스스 추워진다

그의 몸에게 허리 지질 아랫목 뜨거운 구들장 같은
선량한 말 어디 없을까
차가운 종이집에 핏기 잃고 몸 구겨 누웠어도
단 하루 고향마당 하늘
북극성 환히 떠오르는 밤 같게

화엄 발자국

마음을 몸에 붙이지 못했던 날들 뒤로 가고
꽃으로 꾸며진 경전 길 곡선 따라
믿을 신信 한 자 꼬옥 붙잡고
생각의 생각조차 내려놓고 걷는 학교 가는 길

길섶 풀씨가 익어 터지는 소리를 보다가
둑길에 애기똥풀 노랗게 흔들리는 것을 읽다가
시냇물 흐르는 물길을 내 안에 들이다가
버들치 피라미 붕어와 분탕질 치다가
유희삼매에 빠져
해찰하며 해찰하며 가는 길

늦은 나이 늦은 학생이 천,천,히
무심걸음 떼어놓는, 화엄 발자국
새로 돋는 꽃과 잎들이 전하는 말을 듣는다
금강 언덕 오르며 온 마음을 내려놓는다

텅 빈 그 속에 움이 트는,

몸이 마음이 있지 않다

4부

『첩첩단풍 속』
(문학아카데미, 2012)

청호반새, 저 꽃잎

늦사월 청호반새가 산목련 흰 꽃잎을

바위에 떨어뜨렸다

꽃의 살점이 바위를 뚫어

새긴,

문자향

한참 들여다보니

바위의 온몸이 눈이고 귀였다

입이고 마음이었다

내 안 고요함의 바위에서 빠져나가는 새의

저

날갯소리

번개 낙관

구름무늬 한지에 문장을 다 써도
붉은 낙관 하나
차마 찍지 못한다

저 구부러진 글자들의 살아 숨 쉬는 소리가
귀에 들리지 않는다
글자의 살갗 위 혈관이 만져지지 않는다
글자의 뿌리 그 뼛속 사무침도 보이지 않는다
구름무늬 한지의 먹빛 문장
궁서체 한 호흡만큼
울음의 구름장 너머 저편이
어둠보다 깊고 멀다

마음의 바닥에서 울려오는 비명소리
그 번개 낙관을
한밤내 기다렸다

푸른 사과의 의자

벚꽃비 언제부터 흩날렸을까
서종 가일 미술관
조각가가 돌로 만들어 놓은
푸른 사과 한 알
의자를 꽉 그러안고 있다

흠투성이 사과에 슬픔의 힘 넘쳐나
녹아 흘러내리다가
쏟아지다가
마음이 의자에 걸터 앉는다
쉬어가는 의자 곁에 분홍꽃잎나비 앉는다

이제 헛손질로 못이 빠져 삐걱거리지도
마음대로 흔들리지도 않는 의자에
오래 앉아
북한강 강물 바라 본다
뒤늦은 생기, 떫은 사과의 푸른 미소
한곳에 머물지 않고 순환하여 다시 태어난다

의자 위 내 몸이 푸르러졌다

버들잎 관음도

꿈속에서 또 다른 꿈을 꾸었지요
칠백 년만에
버들잎 관음도 속으로 들어가 마주 서 있었지요

어둠 저편 나를 만나려 고려에서 건너온
관음의 눈빛 쓸쓸함을 보았지요
수없이 각기 다른 색을 포개어
풀어낸, 비단 화폭의 고고함
슬픈 듯 깊고 깊은 고요로 빛났답니다

나의 고단함을 보살핀다는 자비의
버들잎 부처를 보았지요
손가락 끝에서부터 연꽃무늬 옷자락 치마 끝까지
흐르는 선, 차분한 농담의
아름다운 극치

겉으로 한 벌 걸친, 한바탕 꿈속의 짧은
꿈세상을 보았다니요
버들잎 관음도 밖으로 걸어나와 거닐은 국립중앙박물관
떡갈나무의 마음이 꾸며낸 환상 붉은 가을이
다시 꿈속이었다니요

부처 눈사람

저 골짝 국청사 천불전에서 십 년
면벽수도 끝에 해탈을 이루신 게야
밤새 잣눈 내리는 소리,
말이 되어 나오지 못하는 마음을 듣다가
슬그머니 법당을 빠져나와
절마당 기와불사 탁자 위에 가부좌를 트신 게야
저리 가만히 미소를 짓고 계신 게야
몇 시간째일까 움쩍달싹 않고
소신공양
몸 허물고 있는 부처 눈사람

그래 나도 부처 눈사람 옆에 앉는 게야
세상 큰 근심 작은 근심 귓가를 스쳐가는 바람이려니,
절대고요에 담기는 게야
서서히 내 몸이 녹아 없어지듯

적멸 속
깊은 골짝

새들의 상처

나의 풍경은 밖에 있고 너의 상처는 안에 있지

페루의 섬에 가서 본 새들은
발 디딜 틈도 없이
모여서 고요를 바라보고 있더군

죽음의 춤을 추면서 날아온, 이 길
약도 없이 단절된 꿈이 풍경을 밀어내고
상처를 가두는, 로맹 가리의 그 바닷가 새똥섬
비리고 안타까운 아름다움이
세상의 끝, 그 모든 것의 끝에 서 있었지

다시 태어나 너에게 날아오르기 위하여
해변 모래사장으로 날아가 몸을 날렸네
마지막 안간힘의 비상을 위한,
영혼 그 환한 날아오름

그날 나는 새들의 비상 속에서 상처를 보았지
허공에 발 옮겨놓고 몸을 멈출 줄 아는
여린 깃털의 날갯짓, 그 풋울음을

보르헤스의 의자

숲속에 보르헤스의 쇠 의자 놓여 있다

눈이 먼 그가
권하는, 빈 의자에 걸터 앉았다

꿩의바람꽃 기린초 얼레지 노루귀가
하늘잠자리 양떼구름 높새바람이
아무도 몰래 다녀간 그 자리
자연책 속에 가두어 압축한 다음 페이지를
가만가만 그에게 읽어 주었다

영혼이 스민 글씨를 짚어가는 책의 길은
부에노스 아이레스의 서점처럼
구불구불 멀었다
난해한 문맥에서 한숨을 내쉬며
쉬고 또 쉬고,
하늘 아래 새로운 것은 없다면서도
그는 귀로 듣고 나는 눈 속에 새겼다
시간이 멈춘 의자에서
끝나지 않는 길 영혼의 산책로를
나도 따라 내려갔다

보르헤스의 의자가 적막 한 가운데 섬처럼 떠있다

고래 시인

장생포 큰돌고래에게 시를 읽어 주는 밤
박수 대신 조용히 손을 흔들어 주면
고래는 금새 몸짓으로 화답하는 소통의 밤
밖에서 미처 들어오지 못한 파도가
저 혼자 철썩이며 박수를 쳐 주는 밤
수평선의 경계 사라진 밤바다 위로
초승달과 밤배
동화처럼 떠 있는 밤
몸이 시가 되고 시가 몸이 되어
고래와 한통속 된 바닷가 그 밤
서로의 영혼을 웃음 반 울음 반 섞어
고래의 날 고래도시에 와서 품은 고래의 꿈
멀고 험한 바다 한 가운데까지 나아갔다
오래 온몸으로 헤엄치다 돌아와 등뼈가 아픈, 장생포 그 밤

고래가 시인이 된 밤

난설헌

난설헌 허초희 생가 터
뒷마당에 섰다

그녀 애간장이 녹았나
모란이 떨어지고
여린 주검이 빠져나간 꽃나무의 꼭지
꽃을 보며 피를 쏟았을
비의悲意 한 움큼이 붉디붉었다

저물녘,
스물일곱 그녀 고된 슬픔에 쏘여
나의 영혼도
툇마루에 주저앉았다

경포호 너머
뭉게구름 한 덩이가 가슴에 꽉 얹혔다

사랑

고욤나무에 감나무 접순을 붙였다

각기 제 몸에 생채기를 내어
그 진물로
서로를 엉겨 붙이는
진액으로의 동여매짐

이제 묶어둔 끈 슬며시 풀어도
이대로 한 가지에 한 몸 한 생각이 되어
오누이같이 닮은 뾰족감 납작감이 되리

정남진 시

장흥 정남진 바다 마을에 가서
나만 알게 지은 죄
다 씻고 올 걸
득량만의 숨 깊은 바다 내려 보이는 산기슭
달 긷는 집 기웃거리다가
여닫이 해변길 느릿느릿 걸어볼 걸
그러다가 그러다가
젖가슴 봉긋한 가슴앓이 섬으로
혼자 스며들어가 볼 걸
풍랑이 심한 세상 바다에서 살아 돌아온
슬픔과 기쁨의 뼈만 남은 흰 말
끓어 넘치는 파도에 쏟아내 볼 걸

다선일미

사람 발자국 소리 듣고 눈길 닿아 더 무성한 차나무의 찻잎 우려낸다

혀끝을 입천장에 대고 입 안에 차향 가만히 느낀다

향기의 소리에 글자를 붙여 본다

다茶. 선禪. 일一. 미味

소리나는 향기를 한 모금 머금으면, 알아챙김의 몸 가볍게 허공에 들어 올려진다

찻잎 따서 봉지봉지 담아놓고 차를 마시는 것은 그 철을 사는 것

누가 그리움은 약도 없다고 했나

마음이 흐린 날, 두문불출 그리움의 몸속으로 깊이 걸어 들어가, 온종일 죽로차 마시고 또 마셔보면

그리움은 향기로 온다

나를 씻는다

가을 월정사 전나무의 참빗 바늘잎 숲길

저 육백 살 전나무 고목 등걸
슬픔을 채운 자만이 비울 수 있는
속이 텅 빈 밑동이다

채움에서 비움으로 가는 중이다

비로자나불 봉우리 구름바다에 묻힌
첩첩단풍 속,

걷다보면 자연 경전의 수많은 경구들
바늘나뭇잎

참빗되어 나를 씻는다

벼를 기리며

잘 익은 벼를 쓰다듬는다

벼에 밑거름 새끼거름 이삭거름을 낼 때

한 삽 거름을 덜어낸

벼

잎진무늬마름병도

가을태풍의 마지막 고비도 겁내지 않는다

잎이 무겁고 나락이 무거워도

금방 쓰러질 듯 논바닥에 주저앉다가도

마음을 다잡고 힘겹게 일어서는 벼

고봉 햅쌀밥이 너무도 장한 벼

작약 한 잎

절집 담장 기왓장에 떨어져 화석이 된 작약 한 잎

검은 기와에 새긴 붉은 꽃의 살점 한 잎

홀어미 두고 일찍 떠난 외아들 오라비 같다

적멸보궁 오르는 저녁답

떠나도 좋은 날이 왔다

문을 품다

상처로 고요를 익힌

살굿빛 둥근 문을 옷섶에 품다

몇 십리 살구나무 속으로 들어가는 길이다

의암호 물빛에 그림자 흔들리는

살구 몸이 한 가득이다

느릅나무 환생

色을 자연으로 바꾸었어요
사람냄새 나는 훈데르트 바서風으로
내 안에 집을 지었어요
직선을 싫어해 곡선으로 지은 언어의 집은
알록달록한 색채의 외벽
건물 전체는 불규칙한 곡선이구요
저마다 모양새가 다른 삐뚤빼뚤한 창문과
양파 모양 돔의
지붕에서 식물이 숨 쉬고 자랍니다

여기서 철없이 나 오래 살다가
마음의 마당 한쪽 자신이 심은 느릅나무 아래
묻히고 싶어요
가장 편안한 모습으로
나무의 거름이 되고 싶어요

부엽토가 된 女子
멀리 강물이 언뜻 보이는 훈데르트 바서風의 집
오래 사는 느릅나무의 잎사귀마다
空을 자연으로 바꾸어 받아들이겠어요

5부

『능엄경 밖으로 사흘 가출』
(문학세계사, 2007)

만어사萬魚寺 종소리

돌 속의 물고기 일만 마리가 깨어나
일제히 종소리를 낸다
제 몸을 두드려 감추어진 소리 울려대는
고승의 화엄경을 듣고 돌이 된 남해 물고기들
나도 운무와 안개에 휩싸여
집에 돌아가지 못하면
돌이 될까
돌의 소리를 낼까
한 소식을 얻어 나를 떠나보내면 만져질 저 빛나는 반야
마음을 항복 받아
내 안에 안주시킨다
바람이 불면
나도 제 몸속 종소리를 울려댄다
뎅그렁, 언제 내 누군가를, 뎅그렁, 사랑한 적이 있었던가

밀양 만어사 너덜 앞 돌 속에는 종소리가 산다
종소리가 되는 일만 마리 물고기가 산다

부석사 일몰

배흘림기둥이 되어 나는 서 있다
전신에 보랏빛 인동풀꽃 문신으로 새겨 넣으며
나는 견디고 있다
살갗을 바늘로 찔러 물감이 줄기가 되고
잎사귀가 될 때까지
나는 버티고 있다
상흔이 한 송이 꽃으로 피어나
풀풀 향기가 되어
몸이 만들어질 때까지

깊어가는 어둠 속 혈맥을 따라 통과해 가는 서러움
마침내는 이르러 캄캄한 딱지로 멈추어 선
소백의 능선마다 내려앉는 어둠

둥- 둥- 둥둥- 둥- 둥둥둥-
비구승 서넛 번갈아
상한 영혼을 불러 모으는
법고 운판 목어 범종 소리를 담아
뜬 돌 위에 올려 놓는다

명약名藥

독으로 약이 올라 한숨이 화가 되고 한이 되어 몸이 주저앉는 깊은 병이 들거들랑 생가시 나뭇가지를 가마큰솥에 오래오래 삶아 보라 다 큰 아들 먼저 앞세운 스물셋 청상 어머니의 한숨이 깊고 푸르다 누구든 그런 고질병엔 엄나무 강한 가시가 약인즉 그대여 증류된 맑은 물 같은 소주를 한 컵씩 물 마시듯 매일 마셔보게나 세상의 가시에 찔려 죽을 만큼 아플 때는 가시나무의 가시가 약발 기가 막히게 먹혀 그대 곪은 상처 요기조기 찔러 터트려 주는 명약일진대!

내 앞의 생

사진의 얼굴이 생판 낯설다
유년의 추억 한 줌도 짚혀지지 않는
저 제삿상 앞 사진틀 속의 아버지
고보시절 앳되고 고운 얼굴을
대머리 막 벗겨질 듯 말 듯 오십의 나이로 합성해
신사복 어색하게 입혀 놓은
반은 그림인 저 제물 위 사진을 무심히 건너다 본다
이승과 저승의 간극
아버지 가벼운 영혼이 열어놓은 현관문으로 슬몃 들어와
고개 갸우뚱하지는 않으실까
너는 누구냐
내가 씨앗 하나 떨군 적 있었던가
교대 막 졸업하고 시골학교 햇병아리 선생하고 있을 무렵
난 아버지 제사를 몰랐다
아무도 가르쳐 주지 않았다

사진 속 저 분
안에서 밖으로
지금이라도 걸어 나왔으면 좋겠다

울음방

건축가 K가 집을 지을 때 명심하는 것은
그 집 가장 깊고 어둔 곳에
울음방 하나를 꼭 만드는 것이다
들키지 않고 숨어들어 맘놓고 마음껏 울음을 우는 골방

스무 살 때 친구 대학교 기숙사에 가서
두 평 남짓한 그런 방을
본 적 있다
세상에 상심한 자 오뇌에 짓눌린 자
누구든 들어가 음악 크게 틀어놓고 목놓아 우는
크라잉 룸
슬픔의 제 몸 훤히 드러내 놓는,
내가 어른 되어 그런 집 한 채 지으리라
마음 깊이 별렀다
그러나 아직도 사통팔달인 내 작은 아파트
오후 네시의 햇볕에 떠밀려난 한 남자가 한 의자에 붙박혀
있다

우는 방이 없어 나의 울음소리는
소리가 되어 나오지 못한다

속눈썹조차 적시지 못한다

그리운 섬

섬은 잡히지 않는 허무한 사랑이다

처녀적 섬에 가서 선생님이 꼭 되고 싶은 한때가 있었다

까맣게 바닷바람에 그을린 아이들과 햇볕을 데불고 모래벌판을 마냥 달리고 싶었다

그러나 발만 동동 구르다 차마 용기 내지 못하고 꿈종이를 접어야 했다

몇 년 생각 트고 지내는 그 사내만 없었더라면, 없었더라면,

어쩌다 저물녘 석양을 바라볼 때나 아그네스 발차의 노래를 들을 때면

간혹 틈 비집고 나오는 그때의 마음 한 자락에 가슴 한 모퉁이 서늘하였다

그럴 때면 다소곳 무심한 척 압정으로 생각을 꾹 눌렀다

해송이 반쯤 누운 바닷가 대신 벽에 바다그림이 붙어있는

칸칸의 아파트 창가에서 십육 년 반 아이들을 가르쳤다

나는 그렇게 늙어갔다

그런데 나 대신에 꿈을 이룬 것은 그 사내였다

그는 섬과 섬을 잇는 다리가 되었다

대문을 열면 바다가 훤히 보이는 집을 구했노라고

내려오라 손짓해도 왠지 나는 갈 수가 없었다

도심의 한복판 아스팔트에 발이 붙들려 떨어지지가 않았다

머잖아 섬마을에 몇 년 닻을 내리리라, 자꾸 미루기만 하였다

조금만 더 조금만 더 그 사내가 더 늙으면

바다 도서관

도서관은
일제히 바다를 향해 돌려놓은 의자다
빈 오후가 파도의 출렁임으로 꽉 차 있다
책장 속 바다 숲에는
색색의 물고기들이 헤엄치고
성게 따개비 삿갓조개가 바위의 정강이에
딱 달라붙어 있다
어떤 슬픔에도
쉽게 떨어지지 않고
제 삶을 움켜쥐고 있는 눈물의 힘,
아무도 가르쳐 주지 않던 바람길이다
책들의 심해 그 숲

도서관의 문장은 드센 파도가 되어 부서졌다
책 속에 코를 박다가, 고개 들어
검푸른 바다의 수평선을 눈 시리게 바라보면
귀신고래가 뛰어오르며 울음을 터트리는 곳

마당이 바다인 남쪽 바다 도서관에서
커피 한 잔에 페이지를 넘긴다 의자 위 파란 물감 든 손이
내가 받아 쓴 시다

대꽃

대는 속이 비어서 제 속에
바람을 지니고 산다

왕죽이 울창하게 들어앉은
단속사 대밭
시퍼렇게 멍든 몸으로
곧게 생을 떠받치고 서 있는 힘
속내를 앓다가 다 비운 자리에
그만큼의 소슬한 바람으로 채운다

있고 없음이 하나다
내가 바로 너다
내 몸 안으로 대 끝에 걸려있던 해가
쑤욱! 들어온다

대꽃이 일제히 필 때까지
전생애가 될 시간을 기다린다

능엄경 밖으로 사흘 가출

능엄경 밖으로 사흘 무단가출해 돌아오지 않는 마음을 안으로, 조용히, 불러 들였어요 사람과 사람 사이, 관계가 혹사시킨 말의 상처, 그 뭇매를 맞은 죄 없는 마음을 치료하려, 곰취 잎사귀에 뿌리를 넣어 녹즙을 냈어요 뿌리로 독을 빼낸, 푸른 물 한 컵, 공복에, 쭈욱 들이켰어요 그리고는 식탁에 앉아 잠시, 찰나삼매에 빠졌지요 평상심, 그 편안한 느낌을 금방 알아챘어요 현재의 마음을 바라보는 또하나, 바깥의 마음을 보았지요 마음을 허방에 빠뜨리고, 껍데기만 거리를 오고 가면서, 왜 그리, 허둥대고 사방 분주하였던지요 나를 알아차림 후에는, 진정 흔들림 없고 치우침 없는, 고요가 올까요 이제 마음을 몸에 붙여, 참하게 길들이기로 하겠어요 몸통이라는 그릇에 담은 본 마음, 있는 그대로 그대를 그리고 나를 보기로 합니다

심죽心竹

활터에 서 보신 적 있는지요
뒷머리 목뼈 다리정강이 발뒤꿈치를 곧추세우고
대나무가 되어보신 적 있는지요
마디마디 대나무 속을 텅 비운 적 있는지요
과녁에 마음의 눈을 맞추고
심죽이 될 때까지
숨죽여 막막함을 기다려 본 적 있는지요
돌처럼 딱딱하게 뭉친 슬픔의 응어리 죄다 풀려나와
심죽에 흡인되는 한순간을 보셨는지요
또 다른 세상 저 높은 달빛 문이 열리는 그때를 낚아채어
허공에 활시위를 날려버리는
이생에 단 한 번 대나무꽃 활짝 피우고 죽어도 좋을
영험의 그날,

내 속에 대나무가 자랍니다
마음을 비우고 힘을 빼고 담담히 활터에 서면
오늘 심죽이 찾아올까요
삿됨을 내려놓고 마음으로 간절히 기다리는

천장天葬

나 죽어 천장을 하리
야크 뿔이 얹혀 있는 표지석을 지나
낭떠러지 벼랑길 드리궁 틸 티벳 사원
그 천장터에서
천장사의 망자를 위한 노래 마지막으로 들으리
유복녀 쓸쓸하고 적막했던 한 시절을 되감아 보는
실타래의 길은 멀다
느슨하지 않게 늘 실을 팽팽하게 당겨 잡아야 했던,
고단을 풀고 이제 나 즐거이 손을 놓아도 근심이 없으리
하늘을 까맣게 덮고 연처럼 날아오르는 독수리떼의 비행
고요히 담담하게 바라보며
나의 살점과 뼈와 두개골을 부수어
날짐승에게 땅에게 온전히 나누어 주어도 아깝지 않으리
살아 있는 것이란 한갓 고깃덩이에 불과한 것
그래도 즐겁고 행복하였노라 삶이여
가장 빠르고 깨끗하게 마지막을 정리하여
내 영혼 독수리를 통해 하늘로 올라가리
울면 더 슬퍼서 안 운다는 라마승의 저 환한 미소를 봐라
심장이 터져버릴 듯 숨이 가쁘던 세상의 걸음도
여기서는 평화이리니

어머니와 재봉틀

밤새워 재봉틀 돌리는 소리가
미닫이문 사이
귓바퀴에 감겨 이명처럼
울린다 재봉의 박음질이 만들어 낸 길을
타박타박 걷고 있다
반평생을 그 소리 듣고 있다

비 오는 날 남새 텃밭도 작파하시고
어머니 재봉틀 앞에 경經 읽듯 앉아
온 맘 온 힘을 보태 한 땀 한 땀
삼베조각보자기 요호청 베개보 무시로 길을 만든다
키도 살도 뼈도 조금씩 무너져 주저앉고 마는
여자의 한 생애가
빗소리 재봉틀 바퀴살에 실려 돌아간다
내 꿈길에도 재봉틀 밟는 소리 들린다

지구를 몇 바퀴 돌리고도 남을 어머니가 만든
박음질 그 길
구석진 세상 곳곳의 길 위에 나는 서 있다
장승처럼 때로는 천불천탑처럼

먹참선

느릿느릿 붓끝에 먹물 묻혀 사군자를 친다
창호지에 새벽 푸르름이 묻어올 때까지
선을 따라 대를 그리고
마디를 넣고
이파리를 하나 하나 채워가는 딴 세상
먹참선 대나무 그림
마음과 몸을
하나로 묶는다
마디 마디 나를 느낀다

두루적막 속 먹향기는 멀어질수록 향기롭다

갠지스강의 화엄

소도 인도에 가면 붓다가 된다
사람이 만져도 저희끼리 뿔에 부딪쳐도
경적소리에 채여도
뚜벅뚜벅 묵묵부답 인파 속을 걷던
여윈 흰 암소 한 마리
길가 상점 안에 들어가 주인과 맞대면하고
앉았다가
홀연히 선정에 담기는,
소는 자기라는 책을 본다
0세부터 지금까지의 기억을 떠올렸다가
감정까지 내려 놓는다
그 자리
나도 끼어 화엄 가까이에 닿고 싶다

위험 수목

톱을 갖다 대는 순간
숨을 죽이고 눈을 감고 있었다
연륜이 잘려 나가고
뿌리를 받치고 있던 땅이 신음했다
살과 뼈가 잘려나가며 피를 흩뿌렸다
나무의 피
봄 쪽으로 팔을 뻗쳤던 햇빛이 잘려나갔다
붐비던 귓가의 음성이 잘려나갔다
높새바람이 잘려나갔다
톱질 소리에 산의 중심도 흔들렸다
축축한 땅의 기억도 잘려나가서 흰 톱밥이
세상바닥에 알알이 흩어졌다

백지에 삶의 집중,
일순간 침묵할 때
숨을 죽일 때의
마음의 톱을 빼내고 재빨리 몸 피하는
우렛소리 문장의 마지막 순간을

나는 지금 위험 수목이다

시인의 변신술

빛보다 빠르게 어둠보다 멀리
우주에 닿은 저 아름다운 불꽃을 봐라

노자랑 장자랑 물의 길 불의 길을 걷다가
봄을 찾아 칠판의 푸른 빛더미 속으로 들어갔다가
청매나무 몸에 숨긴 잎눈들의 사랑을 읽다가
가을비 속 옥잠화의 외침을 듣다가

몸을 감춘 백지에서 나누는 영혼의 대화

그가 펼치는 변신술의 행간에서
무더기 무더기 쏟아지는 별의 씨앗들을 봐라

혹은 액체가 되어
한 병의 술과 하나이더니
혹은 기체가 되어 푸른 이내 속
한 줄기 연기가 되더니
꿈속의 꿈에서 나무가 되어 사리로 품는
8만 4천개의 시,

별밭 꿈밭 이랑에 주렁주렁 열린
저 시의 열매들

환하게 눈부셔라, 빛나는 저 변신술.

6부

『귀여리 시집』
(현대시, 1999)
『가끔은 조율이 필요하다』
(문학아카데미, 1992)

춘설차春雪茶

마음의 불을 끄고 춘설차 한 잔을 마시네 찻잎에서 우러나 물드는 찻물을 보네 누가 찻잔 속에 들어가 제 몸의 속살까지 물들이며 향기로 오나 옛 그림 속 오월의 차나무 잎, 우려 나오는 그 가슴의 그리움을 마시리 찻잔 속에 뜨는 달을 노래하리 그대와 나 사이. 끊을 수 없는 생각으로 내리는 봄눈 머뭇거리며 눈발로 흩날리네

아궁이 앞에서

불 땀이 좋은 바싹 마른 삭정이만을 골라 아궁이 가득 불을 지폈다 솥전에는 허연 밥물이 넘쳐흘러 피지지직 소리를 내며 말라붙고 있었다 불 앞에 쭈그리고 앉아 부지깽이로 삭정이가 탄 작은 불덩이들을 솥 아래로 긁어 모았다 타다만 관솔들을 이리저리 뒤적거리다가 육탈이 되어 재가 된 아버지의 육신, 몸을 태운 재를 눌러 다독이었다 내생에 만나면 생면부지 낯선 아버지 얼굴을 뵐 수 있을런지요

씨앗 저장고

솔방울만한 아기나무의 손을 쥐었다 펴 본다

탯줄로 이어져 땅의 중심이 될 생동生動,

씨앗 한 톨의 내력이 몸의 경전이다

아라라트산 중턱 노아의 방주에서
씨앗으로 잠들어 있던,
몇만 년 전의 나를 만난다

깊어지는 피안과 차안의 잠 사이

내 안에 환하게 불이 켜졌다

씨앗 한 알 속에 내가 뜨겁게 들어있다.

버튼을 누르다

가끔은 엘리베이터를 끝없이 타고 싶다
깊은 생각으로 꿈의 버튼을
눌렀는데 초고속 운행으로 엘리베이터
운하를 뚫고 하늘까지 올라가고 있었다
길을 내고 있었다, 떠나야 할 다음 길이
어질어질 멀미를 내고
엘리베이터, 그 푸른 길을 가고 싶었다
나무의 이파리 비릿한 풋내 푸른 열매까지
내 것으로 하고 싶었다

깊기도 하여라, 강원도 삼척군 탄광 1,000미터 막장
삶의 메탄가스가 모여 터트려지는 비명,
헬멧의 노란 불빛
불빛은, 갱 안에서 무얼 비추나?

귀여리 마을에 와서

나 어둠이 물드는 귀여리 마을에 와서
어둠을 한 입 베어 물다

일몰이 가장 아름다운 때를 기다려
조용한 슬픔으로 넘치는 강물

몸 허물고 지는 해의 알 태 안에 품어
탄생을 기다리는,
너와 나의
나무 그리고 꽃과 새의 집

동판을 깎고 문지르고 흠을 골라내어
알을 키우기에 알맞은 향기의 집을 지으리

나 귀 여리고 여려
사는 일, 정면이 아닌 그저 비껴가지만 하던

이제 그냥 바람으로 떠돌리 한 줄기
바람에 날개 달아 머언 저 밖을 날리

속리俗離

저물녘에 스며든
보은군 속리산 법주사

미래에 오실 금동미륵보살 미리 오셔서
수고를 품어 안아 주시고
두 마리 사자가 뜰 한켠에서
석등을 떠받치며, 눈인사를 건넨다
새소리 물소리 풀벌레소리 풍경소리
저 청아한 소리의 살결 속
용화세계에 잠시 나를 놓아버린다

세상은 저만치 서서 자꾸 부르는데
오늘 하루라도 숨어 살고 싶어
못 본 체
자꾸만 딴짓을 건다

떠나지 못한 사람들이 어쩌다 들리는 슬픔보다 먼 곳에서

봉산산방

봉산산방 뜨락에 피어있는 모란
붉은 마음 한 자락을 만나는 일
흰 나비 한 마리로 돌아오신
그분의 떠난 말씀을 보는 일
늙은 소나무에 한껏 피운 송화를 바라보며
마음속에 고운 눈썹 심어보는 일

나비 한 마리,
머물러 끝까지 자리를 지킨다

얼음 강물 위를 걷는다

얼음 강에서 우리는 바라만 보았다
세상은 말이 필요하지 않았다

겨울 남한강가에 서면 얼음 강이 울며불며 쩡 쩡 쩡 쪼개져 애간장이 터지는 소리, 아라리 길을 낸다 가리워진 길 나의 길을 악보처럼 눈앞에 환하게 펼쳐 보인다

가리워진 길 한 모퉁이를 돌아, 나를 들여보내 줄 돌문을 찾아, 얼음 강물 위를 걷는다 살아온 날들이 봄날의 꿈속 같아서, 살아갈 날들이 눈 덮인 하얀 들판 같아서

생각의 자루 얼음 강가에 풀어 놓는다 슬픔에도 지느러미가 생겨 여기에서 영원까지 세상을 다 헤엄칠 수 있을 것이다

서서 하는 독서

함께 베네치아에 가자

꿈속의 꿈 헛딛은 말을 위하여
단 하나의 음, 단 하나의 획, 단 하나의 문장을 위하여
이 세상 모든 여행은 내가 나를 그리워한 사랑이다

감정 박물관에 유물로 남은 한 잎의 말이
서천을 붉게 물들인다

멀어지는 물의 도시에 걸린 석양
이승과 저승의 경계에 걸려
해거름이 한 점 붉다
너는 어디에도 없고 어디에도 있다

물길을 타고 낙엽 배
그 물결에
흑해 지브롤타 해협까지 떠내려 가자
포말의 물거품에 한 생애가 섞이며 검은 바다까지

내 마음의 12지신상

짐승의 열두 마음
사이에서 오락가락
보이다가 보이지 않다가

마음속에 함께 살아가고 있는
사람의 얼굴 짐승의 심장
악심 탐심도 뒤섞여
선과 악 경계도 없이
열두 가지 동물

순한 양이었다가 우직한 소이었다가 개가 되고
원숭이가 되고 호랑이도 되는
기분을 누가 알까

마술이 풀려 사람이 될 때까지
하늘 뒤덮은 먹장구름이었다가
귓불을 간질이는 하늬바람이었다가
자꾸만 목이 메이는

사는 법이 괴로워
나를 놓아두고 한 발짝 물러나 그림자를 지켜보기로 한다
내 마음 속에 들어와 똬리 틀고 앉아있는

12지신상이 아픔 반 슬픔 반 소리를 낸다

별은 이곳에 와서 뜬다

그의 별을 찾는다 은하를 따라 띠를 두른 성단 속 북간도의 밤하늘 이곳에는 별의 별들이 보석의 말처럼 다닥다닥 박혀있다 밤을 새워도 이야기보따리 끝나지 않는다

그가 살았던 마을 명동촌 언덕에 올라, 그가 쏟아놓은 별들의 말 핏기 한 무더기 내 심장 속으로 받아 적는다 한 슬픔에 쏘여 눈물방울 하나 뚝! 떨어진다

별이 된 그와의 살가운 눈맞춤 뒤 긴 말의 향연을 본다 푸른 안개를 두른 풀풀 온통 슬픔의 향기다 생은 깜빡 풋잠에 들었다가 문득 깨어날 뿐인 미망이다*

별빛 내린 여기서는 바랭이풀도 눕지 않는다

마음을 헤집어 은하수 만발한 밤이다

---

* 공자의 말 변주.

투루판의 포도

따갑게 익을 대로 익은 투루판의 햇살
한 움큼씩 떼어내

포도나무에 푸른 생각 붉은 생각을
주렁주렁 그려 놓았다

포도의 그윽한 눈동자를 생각하면
모난 마음이 둥글어져
흠투성이 찌그러진 내 생애가 조금은 더
온전하게 펴지고 달달해질지 모를

크고 작은 시름을 잊고
포도나무 덩굴 천장 불빛 아래 웃음 짓던
스무 살로 잠시 돌아갈지 모를

천산 투루판의 포도
한 알 그릴 때마다 몸속으로 내는

포도 그 원圓의 길,
끝이 아닌 새로운 시작의

옥천, 수묵담채

버스에 이불 보따리 싣고

구불구불 끝없어 아득했던 미류나무 신작로 길

총각 선생 둘 리어카 끌고

내 짐보따리 받으러 마중 나왔던

군대 간 남자 친구 불쑥 찾아온,

소문이 무서워 벌벌 떨며 그 길로 냉정히 되돌려 보낸 깡시골

더러 십 리 간격 학교의 친구 선생 넷 모여

기타 치며 포크 송 불렀던

언덕 위 학교 조금은 쓸쓸했을 스무 살 애린의 발자국들

무수한 점묘화

옥천 옥천, 부르면 맑은 물소리 나의 시절

수묵담채가 향기로 빛깔로 뒤따라오는

금시라도 적막을 헤치고 맨발로 달려 나가고 싶은,

어제 그린 그림이

누수되지 않은 그리움으로 남았다

돌 거울

돌로 만든 거울에 내 마음을 비춰 보았다
돌로 만든 거울에 네 마음을 비춰 보았다

돌 거울을 자꾸 들여다보면
몸의 나쁜 기운 다 빠져나가고
내가 아닌 내가 보였다
네가 아닌 네가 보였다

별빛 햇살 바람 이끼가 뭉쳐있는 자리
먼지와 비와 우레도 몇 핏줄에 들어있는
수수억 광년
땅과 나무와 꽃의 기운을 온몸에 받아들인 돌

나를 재생했다 차가운 돌 거울에
이마를 기대고
하늘의 맑은 기를 흠뻑 들이마셨다

돌 거울에 마음을 비춰 보니 내가 없었다

돌이 된 별, 꽃무리인 듯 네가 반짝였다

해설

고요한 마음이 파동처럼 그려낸 예술적 원형들
— 한이나의 시세계

유성호(문학평론가, 한양대학교 국문과 교수)

1. 심미적 문양文樣의 베스트 컬렉션

한이나 시인의 시선집 『알맞은 그늘이 내가 될 때』(서정시학, 2024)는 그동안 출간된 일곱 권 시집에서 고른 그의 베스트 컬렉션이자, 한국 서정시의 한 정점을 밝혀온 시인의 오랜 언어를 담아낸 빛나는 서정적 축도縮圖이기도 하다. 한이나 시편을 발표 역순으로 구성한 이 시선집은 자연스럽게 시인이 걸어온 시공간을 아득하게 펼쳐낸 자전적 기록이기도 할 것이다. 시인의 말대로 "고요의 둘레 쪽으로 몸 기울어져/언 바람 녹이는 시 백 편"(「시인의 말」)이 가지런히 펼쳐진 미학적 집성集成을 아름답게 보여주는 최량의 성취라고 할 수 있겠다.

잘 알려져 있듯이 한이나의 시적 여정은 첫 시집 『가끔은 조율이 필요하다』(문학아카데미, 1992)로부터 최근작 『물빛 식탁』(서정시학, 2022)에 이르기까지 30여 년 동안 자신만의 서정적 기조를 견고하게 유지한 채 역동적으로 펼쳐졌다. 그 안에는 시인 스스로의 내면에 일렁이는 빛과 상처, 그로 인한 한없는 슬픔과 그리움, 삶에 대한 속 깊은 해석과 전망까지 다양한 심미적 문양文樣이 폭넓게 깃들여 있다. 물론 그의 시에 그러한 삶의 흐름이나 굴곡이 직접 토로되는 법은 없다. 시인은 언제나 선명하게 살아있는 비유적 심상들을 통해, 간접화된 미학적 상징들 통해 그러한 삶의 비의秘義에 가닿고 있기 때문이다. 이제 한 걸음씩 천천히 옮겨가면서 이번 시선집 안에서 빛을 발하는 이러한 예술적 표지標識들을 차례대로 만나보도록 하자.

2. 순결한 존재론적 원형을 찾아서

모든 사람은 '시간'이라는 흐름 안에서만 자신의 존재론적 동일성(identity)을 유지하고 완성해갈 수 있다. 사실 모든 생명이 태어나고 자라고 사라져가는 과정 자체가 시간의 흐름 속에서만 가능한 것일 터이다. 따라서 초超시간성이라는 것은 인간이 상상해낸 불가능한 전제일 뿐이고, 인간은 철저하게 시간-내적 존재로 살아갈 수밖에 없다. 하지만 사람들은 물리적 시간의 한계 속에서 살기도 하지만, 저마다 고유한 주관적 시간 속에서 자신의 실존을 확장해가기도 한다. 선험적인 물리적 실체로서의 시간만이 아니라 스스로의 경험 속에서 재구성된 새로운 존재조건으로서 시간을 사유하기도 하는 것이다. 한이나의 시편들은 우리에게 오랜 시간의 흐름 속에서도 변하지 않는 원형을 심원하게 경험하게끔 해준다. 뭇 생명들이 견지하는 불가피한 존재조건으로서 시간의 한계를 승인하면서도, 우리가 궁극적으로 가닿아야 할, 그러나 결코 다다를 수 없는 어떤 원형에 대한 심미적 열망을 노래해가는 것이다. 먼저 다음 시편을 읽어보도록 하자.

초록에 어둑살 깔리는 서하리
푸른 빛의 키 작은 꽃
너른 산비탈을 가득 채운 푸른꽃

가까이 다가가면 모습이 변해
더는 거리가 좁혀지지 않는
너는,
가까이서는 볼 수 없는
다가가면 멀어지고 마는 시간의 꽃
먼 생 숨은 사랑,

이랑마다 흙 속에 심어져
저 전심전력,
고랭지 비탈에 피어난 시간이 멈춘 사랑

숨 쉬는 잎과 잎 사이, 겹겹의 속살들
바람개비가 돌리는 밭둑 돌멩이의 온기,
꿈속에서 완성된 너

푸른꽃을 만난다

—「저, 푸른꽃」 전문

시인은 저 독일 낭만주의의 질풍노도를 담은 상징 '푸른꽃'을 불러왔다. '푸른꽃'은 일찍이 현실에서는 불가능한 낭만적 이상理想을 이야기할 때 줄곧 등장했던 상징으로서, 여기서는 시인의 애틋하고도 간절한 동경을 생성하는 존재로 나타나고 있다. 시인의 시선은 땅거미 내리는 서하리 너른 산비탈을 채우고 있는 '푸른꽃'을 향한다. 물론 그 꽃은 시인이 근접하면 할수록 거리가 좁혀지지 않고 결국 가까이서 볼 수 없는 존재이다. "다가가면 멀어지고 마는 시간의 꽃"이야말로 "먼 생 숨은 사랑" 혹은 "시간이 멈춘 사랑"을 아득히 품고 있는 셈이다. 이처럼 멈추어버린 시간 속에서 돌멩이의 온기로 번져오는 '푸른꽃'은 꿈속에서만 완성될 수밖에 없는 어떤 존재론적 원형에 가까워진다. 그 꿈과 현실의 거리가 바로 '저, 푸른꽃'이라는 제목에 드러나 있지 않은가. 그 꿈과 현실의 거리야말로 낭만주의의 핵심이지만, 그것은 어느새 "몇 걸음 내달리면 닿을 아름다운 거리"(「이층 바다 교실」)가 되어 우리로 하여금 충분하게 성숙한 시선으로 '푸른꽃'을 바라볼 수 있게끔 해주기도 했을 것이다. 그리고 그러한 꿈의 형상은 한이나 시편에서 "고통의 한 가운데/녹슬지 않을 금강의 시간들"(「파릉의 취모검」)이나 "적멸에 이르는 먼 길"(「높이뛰기」) 등으로 끝없이 변주되어 나타나고 있다. 과연 한이나는 현실의 불가능성을 꿈의 불가피성으로 변화시켜 가는 원형 지향의 시인인 셈이다. 다음은 어떠한가.

밤새워 재봉틀 돌리는 소리가
미닫이문 사이
귓바퀴에 감겨 이명처럼

울린다 재봉의 박음질이 만들어 낸 길을
타박타박 걷고 있다
반평생을 그 소리 듣고 있다

비 오는 날 남새 텃밭도 작파하시고
어머니 재봉틀 앞에 경經 읽듯 앉아
온 맘 온 힘을 보태 한 땀 한 땀
삼베조각보자기 요호청 베개보 무시로 길을 만든다
키도 살도 뼈도 조금씩 무너져 주저앉고 마는
여자의 한 생애가
빗소리 재봉틀 바퀴살에 실려 돌아간다
내 꿈길에도 재봉틀 밟는 소리 들린다

지구를 몇 바퀴 돌리고도 남을 어머니가 만든
박음질 그 길
구석진 세상 곳곳의 길 위에 나는 서 있다
장승처럼 때로는 천불천탑처럼

—「어머니와 재봉틀」 전문

이번에는 '어머니'라는 시인 자신의 존재론적 기원起源을 찾아 나섰다. 시인이 기억 속으로 어머니를 소환하는 매개물은 '재봉틀'이다. 어머니께서 밤새워 재봉틀 돌리시던 소리가 귓바퀴에 감겨 이명처럼 울리는 순간이 바로 그 매개를 완성한다. 그것은 또한 "재봉 박음질이 만들어낸 길"을 어머니와 함께 걷는 시간이기도 했을 것이다. 어머니께서 재봉틀 앞에 "경經 읽듯 앉아" 보자기며 베개보로 길을 만드실 때, 시인은 그 과정이 어쩌면 "여자의 한 생애"가 재봉틀 바퀴살에 실려 돌아가는 것이라고 여겼는지도 모른다. 지금도 꿈길에 재봉틀 밟는 소리가 들릴 때마다 시인은 자신이 "어머니가 만든/박음질 그 길" 위에 서있음을 깨닫는다. 그렇게 어머니와 재봉틀은 한 몸이 되어 시인의 가장 오랜 기억 속 원형으로 존재한다. 어머니의 "몸으로 그려낸 소리 마음들"(「ㄱ의 순간을 지나다」)을 새기면서 시인은 천천히 "화석이 된 당신의 흔적 위에 남겨질 내 숨결"(「화석, 침묵 혹은 뜨거움」)까지 불러오고 있는 것이다. 이 모든 것이 "곧게 생을 떠받치고 서 있는"(「대꽃」) 어떤 원형으로 다가오고 있는 것이다.

이처럼 한이나 시인은 지금은 다가갈 수 없지만 생명이 다할 때까지 먼 거리에서나마 간직하고 가야 할 존재론적 원형들에 대한 지극한 애정을 실어 자신만의 서정시를 써간다. 이러한 기억들은 '푸른꽃'처럼 신비롭고 아름답게 가다듬어져 있기도 하지만, '어머니의 재봉틀'처럼 삶의 가장 구체적인 고통의 서사를 품고 있기도 하다. 그러니 시인에게 기억이란 삶의 고통을 추스르고 견뎌온 안간힘에 의해 완성되는 그 무엇일 수밖에 없지 않겠는가. 삶의 고통과 빛에 대한 성숙한 균형의 태도를 통해 순결한 존재론적 원형을 사유해가는 한이나 시편이 우리 서정시의 소중한 한 범례範例가 되는 까닭이 여기에 있을 것이다.

3. '시'의 은유로서의 무수한 '책'의 형상들

다음으로 우리는 시인이 '시詩'의 존재 방식을 향하고 있음에 주목할 수 있다. 원래 시인이 지향하는 세계와 현실은 어긋나 있는 경우가 많다. 이때 한이나 시인이 택하는 작법은 그러한 실존에 대한 안타까움에 머무르지 않고 거기서 한 걸음 나아가 그것을 바라보는 새로운 은유에 의해 대안적으로 구축되어간다. 그 핵심 형상이 바로 '책'이다. 시인에게 '책'은 세상의 가치를 담고 있는 보고寶庫이자 긍정적이고 생성적인 세계 생성의 한 형식이었을 것이다. 그렇게 한이나는 '책'을 통해 시를 사유하고, 시를 써갈 뿐만 아니라 책을 품은 채 시의 궁극을 향해 걸어가는 시인이다.

단양 숲속 아늑한 책들의 집
비포장도로 울퉁불퉁한 산길 내려서면
오래된 낡음이 모여
숨을 쉬는 곳

글자들의
낭랑한 저 목소리
행과 행의 줄을 팽팽하게 잡아당겼다가
툭! 놓으면
날아갈 듯 가볍게 평화가 되어버리는
저 생각 한 줄, 산새가 되어
오래된 책 위에 둥지를 짓고
새끼를 친다

한때 감정에 북받쳤던 글자들도
책방 밖 개울 흐르는 소리를 베고
곤히 잠이 든다
책 속에 고여 있는 무거운 고뇌 한 짐
슬쩍 내려놓고

— 「책들의 둥지」 전문

충북 단양의 한 중고서점에서 시인은 그 "숲속 아늑한 책들의 집"이 "오래된 낡음이 모여/숨을 쉬는 곳"임을 발견한다. 그곳에 빼곡하게 들어찬 "글자들의/낭랑한 저 목소리"와 "생각 한 줄"들은 모두 산새처럼 가볍게 날아가 오래된 책 위에 둥지를 틀었다. 한때 기쁨과 슬픔에 북받쳤을 글자나 문장도 이제 서점 밖에서 들려오는 개울물소리를 품은 채 잠들어 있다. 책 속에 들어앉았던 삶의 무게들도 차례차례 내려놓은 채 말이다. 그렇게 오랜 책들의 둥지에서 시인은 "단 하나의 음, 단 하나의 획, 단 하나의 문장"(「서서 하는 독서」)을 탐색하고, 나아가 자신을 붙잡아 놓고 있던 책(글, 시, 문장)에 대한 집착으로부터 한없이 자유로워진다. "붓 끝에서 피어나는 묵향"(「붓꽃 춤」)을 몸에 담고서 "고요의 끝 책 속으로"(「너의 정원」) 나아가 궁극에는 "모음 자음 낱알의 씨앗들, 그 비밀통로"(「바람의 책」)를 찾아내는 과정을 우리에게 보여준 것이다. 이 모든 것이 "글자의 마음 心에/닿을 수 있을"(「직지, 길을 묻는다」) 순간을 선연하게 보여주는 듯하지 않은가.

삼십여 년 책이 땔감으로 쌓였다

벽이란 벽을 다 차지하고 푸른 고집으로 버텼던

자진이라도 결심하듯
내리 사흘 사정없이 마구 버렸다
두고 읽으려 마저 읽지 못한 아까운 글귀
한밤중 이슥토록 잠 못 들며 쏟아부은 만 개의 잡념들

한순간 잿더미 될 불쏘시개감으로 남았다

먼지를 버리고 또 버리면서
나를 들켜 유리알처럼 창자까지 내보였던 일
까무룩 책들의 혼절이 보였다

마니차를 돌리듯 맨 아래 책에서 위의 책까지
손길이 닿으니 온전히 다 읽혀졌을 것이다
내 살과 피와 보석이 되었는지, 나는 알지 못한다

이생의 허무한 몸짓들
그러나 너무 소중해 깨물고 싶은 페이지의 순간들
나는 참으로 화려하게 살았구나

책더미 일곱 지게 세상 바닥에 짐짝처럼 부려놓고

—「책을 불태우다」 전문

이번에는 책을 불태우는 상징적 장면으로 옮겨간다. 벽을 다 차지한 채 푸른 고집으로 버텼던 오랜 시간들이 이제는 지상으로 나왔다. 비록 아쉬움과 안타까움이 있지만, 시인은 그 책들이 잿더미로 몸을 바꾸는 한순간을 스스로 허락한 것이다. 오랫동안 시인에게 살과 피와 보석이 되었을 책들의 혼절이 눈에 들어오고, "너무 소중해 깨물고 싶은 페이지의 순간들"도 잠시 숨을 멈춘 채 도열해 있다. 참으로 화려하게 살았던 존재증명으로서의 그 수많은 책들은 이제 그렇게 사라져갈 것이다. 마침내 시인은 자신을 붙들고 있던 책을 향한 애착과 집념을 불태움으로써 역설적으로 그 세계를 전유하고자 한다. "세상의 한끝에서 마음의 등불을 찾아"(「노독路毒」)갈 때마다 길잡이가 되어준 책들, "종잇장에 새기는 영혼의 글자"(「흰 그림자」)를 담은 책들이 마음속에 각인되는 순간이다. 이제 "제 어리석음에 주눅 들다가 덮어버렸던 무수한 책장들"(「벽암록 읽는 법」)은 "우렛소리 문장의 마지막 순간"(「위험 수목」)을 시인에게 가져다줄 것이다.

한이나 시인은 이처럼 시인으로서의 존재론을 '책'의 형상을 통해 구축해간다. 모든 사물은 그 자체의 물성物性으로 존재 원리를 구현하지 않는다. 주위 환경은 물론, 이웃해 있는 사물들과 교감하고 상응相應하면서 자기 존재를 각인시키는 법이다. 한이나의 시에 등장하는 '책'의 형상도 그러한 교감과 상응을 통해 스스로의 물성을 재구성하게 된다. 그 과정에서 '책'은 시인의 존재론을 구성하는 등가적 이미지로 나타난 것이다. 이 모든 것이 '시인 한이나'의 일관되고 지속적인 자의식의 발로 과정이라고 할 수 있다. 가장 오랜 시간을 담은 '책'과 역설적으로 한순간 불태워지는 '책'이 모두 한이나 시인이 써가는 '시'의 은유적 형상이 되고도 남는 것이다.

4. 서정적 긴장과 균형으로 걸어가는 경계의 지표들

나아가 한이나 시인은 그것이 자신의 경험이든 아니면 어떤 깨달음에서 유추한 것이든, 강렬한 애착을 가지고 사물들의 경계의 지표들을 적극적으로 횡단해가면서 통합적 시선을 마련해간다. 그만큼 시인의 시선과 관심은 자신이 힘겹게 통과해온 시간과 그로부터 알게 된 실존적 가치들을 은유적으로 결합하면서 그 경계에서 새로운 가능성으로 발원하게 된다. 이 모든 것이 한이나 시학의 든든하고도 은은한 미학적 긴장과 균형을 보여주는 사례가 아닐 수 없을 것이다. 다시 말하거니와 한이나는 직접적 고백이나 토로의 시인이 아니라, 사물이나 상황이 이루어놓은 경계의 지표를 독자적인 긴장과 균형으로 걸어가는 시인이다.

붉은 열매 산사나무 밑
초록벌레로 잠들다
겨울 썩은 낙엽더미 속
땅속 내 방 어둠에 누워
초록벌레의 꿈을 꾸고 싶다
무지개에서 떨어져 나를 알아보지 못할
변신도, 두렵지 않고
뼈와 살을 갉아먹는
굽이길 바람길 헤매도 겁나지 않는,
향기 머금고
하늘까지 닿고 싶다

황홀이여 아득하여라

봄으로 날아간다

호접몽 속 길이며 이름이며 문이 되어

—「벌레 자서전」 전문

'자서전'이란 스스로의 삶을 회상적으로 담아낸 사실적 기록일 텐데, 시인은 그 주인공을 '벌레'로 상정하고 있다. 그 안에는 산사나무 밑에서 초록벌레의 꿈을 꾸려고 하는 시인의 모습이 투영되어 있다. "땅속 내 방 어둠에 누워" 알아보지 못할 향기를 띠면서 하늘에까지 닿으려 한 그 꿈을 품고서 말이다. 황홀과 아득함을 동시에 견지하면서 봄을 향해 날아가는 그 꿈이야말로 시인에게는 '길'이며 '이름'이며 '문'이 되어줄 것이다. 이러한 변신 은유는 현실과 꿈, 지속과 변이, 죽음과 부활의 상상력을 교차시키면서 그 경계를 시인의 존재론으로 삼게끔 해준다. 그 긴장과 균형은 "몸의 경전"(「씨앗 저장고」)처럼 "지나온 사랑과/앞으로의 희망"(「벌레가 질문하는 밤」)을 동시에 사유하는 시인의 놀라운 품과 격을 보여준다. 비록 "영원한 것은 현재"(「밤의 피라미드」)일 수밖에 없지만 시인은 초록벌레의 "가장 눈부신 하루를 뽑아낸 색깔"(「주황」)이 그러한 긴장과 균형을 유지시켜주었음을 고백하는 것이다. 삶의 무수한 고통을 딛고 천상의 아름다운 존재로 옮겨가려는 시인의 꿈이 눈부시게 다가오고 있다.

세상의 지붕 위를 떠가는 한 조각 흰 구름

부처님 자리, 구름 같은 먼 그리움

혜초가 천축으로 불경을 구하러 떠난 막막함의 길

독수리 산까마귀 늑대와 더불어 고산식물의 꽃밭을 지나

해발고도 오천 미터의 산맥,

바랑을 지고 지팡이 친구 삼아

그는 기필코 저 설산을 넘었으리라 파미르 파미르

외부가 내부에 닿지 않는 황톳빛 땅

저 산맥들 바라보며

나도 오늘은 세상의 한랭 건조한 고원을 걷는다

한 고비 그리움도 서러움도 넘어야 도달할 서방정토

파미르가 흰 구름으로 피어난 만다라 꽃 같다

—「파미르」 전문

이번에 시인은 '파미르'로 공간 이동을 해왔다. 파미르는 "세상의 지붕"으로 유명한 고원이다. 그 위를 떠가는 흰 구름에게서 시인은 "부처님 자리, 구름 같은 먼 그리움"을 본다. 그 옛적 혜초가 천축으로 불경을 구하러 떠난 길이 거기 야생의 동식물들과 함께 펼쳐져 있다. 그렇게 "외부가 내부에 닿지 않는 황톳빛 땅"을 걷던 시인의 시선에 파미르가 만다라 꽃처럼 하얀 구름으로 다가오고 있다. 시인은 이처럼 고원이라는 지상과 천상의 경계에서 불경이라는 궁극의 지표를 찾아 떠난 고승의 발자국을 따라 걷는다. 그 길에서 많은 순간들이 "천의 고원 바람 되어 티끌로 사라졌어도"(「12각 돌의 생」) 결국 그 길은 자신이 가야 할 길이며 "걷다보면 자연 경전의 수많은 경구들"(「나를 씻는다」)을 얻게 될 것임을 시인은 믿는다. 이 모든 것이 하늘과 땅의 경계에서 시인이 취한 긴장과 균형의 감각이 가져다준 생의 순례길이 아닌가 한다.

이처럼 내면과 영혼의 폐허를 넘어 생명의 땅으로 걸어가는 시인의 모습은 '초록벌레'나 경전을 구하는 '순례자'의 모습으로 나타난다. 한이나 시인의 상상력은 그러한 근원 탐구의 감각으로 한 걸음 더 나아간 것이다. 사물과 사물, 상황과 상황 사이에 미세하게 펼쳐 있는 경계를 놓치지 않고 거기에 긴장과 균형을 부여해간 것이다. 그 현장은 신성, 자연, 인간 모두에 걸쳐 있는데, 그때 이루어지는 시인의 발견은 삶의 관조에서 태어나지 않고 역동적 참여에서 생겨난다. 아닌 게 아니라 시인의 언어에는 삶의 이면 현상을 투시하려는 예지와 열정이 곳곳에서 보이고 있다. 그 가운데 가장 확연한 것은, 삶이라는 것이 비관이나 희망에 의해 선형적으로 파악되는 것이 아니라, 복합적인 힘들의 역학에 의해 구성된다는 시각이다. 이를 두고 삶의 복합성을 드러내는 시인만의 지속적이고 원초적인 시적 기율이라고 불러도 틀리지 않을 것이다. 그만큼 한이나는 서정적 긴장과 균형으로 경계의 지표들을 걸어가는 시인이다.

5. 미학적 공명을 불러일으키는 사물의 향기와 그늘

주지하듯, 우리가 사는 세상은 활력과 침묵의 일정한 순환 과정으로 이루어져 있다. 이러한 삶의 모순은 아폴론적 이성과 디오니소스적 욕망이 얽힌, 그럼으로써 혼돈의 역동성이 내재한 사물들의 존재방식으로 연원하는 것이다. 자연스럽게 시인은 그러한 모순의 실재와 역동성에 깊이 주목하게 된다. 그리고 그러한 모순을 구성하는 어느 한 축으로 기울지 않고 그 사이의 팽팽한 활력과 침전의 동시성 안으로 자신의 정신을 견지하게 된다. 한이나 시인은 그 활력과 침전을 동시에 받아들임으로써 성찰의 속성을 점증시켜 가는데, 특별히 시인이 수행해가는 이러한 성찰 과정은 생명체들의 '향기'나 '그늘' 같은 상징들에 덧입혀 나타나는 경우가 많다. 그것은 한이나 특유의 내적 제의祭儀 과정일 것이다.

물에 묻은 나무
천년 흘러 어둠빛 향으로 고이더니
다시 숨을 쉰다

죽었던 나무의 몸에서 피가 돌아
목숨을 싹 틔우는
환생의
베어진 향솔 상처의 저 생살,

꿈꾸며 견뎌온 물속의 시간과 향기의 시간을
몸에 새겨진 물의 지도를
가물거리는 기억의 한 끝을 붙잡고, 천신만고

머무는 꽃도 새도 바람도
물의 지도에 영혼의 향기를 보탠다

살아있는 것들은 따듯하다

—「침향」 전문

'침향沈香'이라는 "물에 묻은 나무"는 어둠빛 향으로 고여 있다. 죽은 몸에서 피가 돌아 목숨이 다시 살아나는 신비로운 나무이다. 그런데 그렇게 환생의 가능성을 보여주는 "향솔 상처의 저 생살"이야말로 '시인 한이나'의 존재론을 빼닮게 된다. 그만큼 시인도 침향도 모두 "꿈꾸며 견뎌온 물속의 시간과 향기의 시간"을 몸에 새기며 살아간다. 아득한 시간 속에 새겨진 물의 지도는 스스로의 향기를 보태가면서 "가물거리는 기억의 한 끝을 붙잡고" 있는데, 그러한 시간을 내장한 채 "살아있는 것들"은 모두 따듯한 존재자들이 아닌가. 그만큼 시인은 생명체들의 향기에서 "한 생이 풀 한 포기의 견딤"(「서대문형무소역사관에 서서」)에서 가능했던 것이고, 결국에는 삶의 모든 "그리움은 향기로"(「다선일미」) 다가오는 것임을 노래해가게 된다.

삼십 년 된 목백합 한 그루가 창을 가린다

내가 오두마니 앉아있는 그늘의 집에 그가 낮에도 불을 켜라고 성화다 그는 조금의 어둠도 참지 못하고 불을 켜는 사람, 나에겐 불 밝혀 어둠을 몰아내는 그가 있다 그늘에 상주하는 내가 있다

나는 녹색의 장원에 꽁꽁 숨어 등뼈가 굽었다 푸른 그늘로 뒤덮여 조금은 어둡고 침울한 집, 환한 햇살에 칸칸이 슬픔을 알몸으로 내보이지 않아서 좋다

알맞은 그늘이 내가 될 때

불운도 시샘 안 하고 비껴갈 푸른 잎사귀 그늘의 집, 행여 뼛속 저 깊은 곳 또아리 튼 슬픔이 도질까

세상과 대적하지 않고 창밖 숲속 쪽문을 가만히 연다 내 안의 다른 길, 비밀의 정원 행간을 풀어 읽는다

나에겐 어둠을 내쫓는 그가 있고 그늘을 찾아 앉는 내가 있다

—「알맞은 그늘이 내가 될 때」 전문

이번 시선집 표제작이기도 한 이 시편은 오래된 목백합 한 그루가 창을 가리면서 만들어낸 존재의 그늘을 노래한 미학적 결실이다. 시인의 내면에 "불 밝혀 어둠을 몰아내는" 힘과 "앉아있는 그늘의 집"은 서로 호혜적 역상逆像이 되어준다. 시인은 그늘로 뒤덮인 어둑한 집에 거하면서 자신의 슬픔을 햇살로부터 숨길 수 있게 된다. 그렇게 "알맞은 그늘이 내가 될 때"야말로 존재의 그늘이 가장 심원한 삶의 거소居所가 되는 순간인 것이다. 세상과 대적하지 않고 "내 안의 다른 길"을 비밀의 정원 행간처럼 읽어가는 시인에게는 결국 "어둠을 내쫓는 그"와 "그늘을 찾아 앉는 내가" 동시에 존재하는 것이다. 그러니 시인에게 가장 궁극적인 "알맞은 그늘"은 "아득한 손님 같은 아직 도착하지 않은 사람"(「너라는 귀신 고래」)처럼 존재하다가 "다시 태어나 맘속 기억도 빛이 들어 반짝이는 어둠"(「고인돌 그 아래」)처럼 잔상殘像을 뿌리게 되지 않겠는가.

근원적으로 서정시는 시인 자신이 스스로를 돌아보는 회귀적 성격이 강하다. 하지만 한이나의 서정시는 단순한 나르시시즘에 머물지 않고, 스스로에 대한 깊은 성찰을 통해 타자의 삶에 충격을 주며 나아가 더 넓은 차원에서 인간을

사유하게 해준다. 시인은 도저한 삶의 '향기'와 '그늘'을 통해 서정시의 심층적 동기를 완성해간다. 삶을 투시하고 그것을 보편적 공감으로 끌어올린다. 말할 것도 없이 그것은 삶을 반성적이고 대안적으로 사유해온 시인의 참모습을 보여주는 듯하다. 그래서 그의 시는 새롭게 경험하고 깨달아가는 '다른 목소리(the other voice)'를 받아들임으로써 그 미학적 지평을 확대해올 수 있었던 것이다. 이러한 경험과 깨달음을 통한 목소리에 우리는 섬세하게 귀를 기울인다. 그의 시는 '향기'와 '그늘'을 통해 궁극의 지경地境에서 울리는 미학적 공명共鳴을 힘껏 선사해주기 때문이다.

6. 섬세한 마음의 움직임이 새겨가는 문자향

한이나의 시는 비애에 감싸여 있거나 상처를 돌아볼 때에도 궁극적으로 밝은 세계를 지향하는 긍정의 속성을 일관되게 지닌다. 물론 그러한 시인의 감각은 저물어가는 기운과 밝아오는 기운을 절묘한 균형으로 바라볼 줄 아는 중용적 의지의 산물일 것이다. 그만큼 시인은 어둑한 세상을 지나 환한 에너지를 통해 아득하게 번져가려는 마음을 아름답게 견지해간다. 그 근원적 힘이 바로 사랑에서 나오는 것이고, 그 방법은 우리가 친숙하게 만날 수 있는 자연 사물을 향하고 있는 것이다. 그럼으로써 시인은 삶의 근원적 경험을 심미적으로 형상화하고 격정과 내성을 내밀한 균형으로 통합해내는 기율을 보여준다. 아름답고 깊고 또한 내면적 진정성으로 가득한 세계가 아닐 수 없다.

그녀가 물의 정원 나무 그늘에 식탁을 차렸다
눈앞 강물이 반짝이고 풀밭은 초록의 그림자
우리만 나이를 한참 먹었다

진심을 차린 우리들의 싱싱한 식탁
찰진 이야기 술술 풀려나오는
물빛 사월 만찬인 듯

오늘 하루 나를 낭비하지 않기로 했다
너무 힘껏 살지 않기로 했다

계단이 없는 평평한 물의 정원 저 푸른 그림자의 풀밭
나무 그늘에 누워 하늘을 독차지한 게
오늘 내 전부
아무도 슬프지 않아 지루한 내 생의 정점

그림자의 그림자인 내가 웃는다
죽은 친구는 저승 벌판 헤매느라 오지 못하고
오래 펄럭였던 얘기 한 줌 바람으로 정결했다

—「물빛 식탁」 전문

한이나 시인의 대표작 가운데 한 편이 될 이 아름다운 작품은 "물의 정원 나무 그늘"에 차린 식탁의 풍요로움을 우리에게 선사한다. 눈앞에 강물은 반짝이면서 흐르고 풀밭은 초록의 그림자를 순리처럼 드리운 채 펼쳐져 있다. 그 싱싱한 물빛 식탁에서 '우리'는 찰진 이야기로 "물빛 사월 만찬"을 즐긴다. 그 순간 시인은 이제는 스스로를 낭비하지 않기로 다짐해본다. 너무 힘껏 살지 않기로 생각해본다. 그렇게 시인의 하루는 '물의 정원'과 '그림자의 풀밭' 그리고 '나무 그늘'을 바탕 삼아 "생의 정점"으로 펼쳐져간다. 그렇게 "오래 펄럭였던 얘기 한 줌"이 바람에 실려 정결하게 전해지는 '물빛 식탁'은 한이나 시의 미학적 결정結晶이 되고도 남음이 있다. 그 아름다운 형상은 "그리움의 푸른 것들은 끝까지 색을 놓지 않는"(「그리움의 온도 80도」) 순간을 담고 있고 "슬픔의 불을 태운 자만이 얻는 색경"(「색경色經」)을 안아 들이기도 할 것이기 때문이다.

> 늦사월 청호반새가 산목련 흰 꽃잎을
>
> 바위에 떨어뜨렸다
>
> 꽃의 살점이 바위를 뚫어
>
> 새긴,
>
> 문자향
>
> 한참 들여다보니
>
> 바위의 온몸이 눈이고 귀였다
>
> 입이고 마음이었다
>
> 내 안 고요함의 바위에서 빠져나가는 새의

저

날갯소리

—「청호반새, 저 꽃잎」 전문

'물빛 식탁'의 아름다움은 이제 '청호반새'가 떨어뜨린 꽃잎으로 전이된다. 어느 봄날 청호반새가 바위에 떨군 "산목련 흰 꽃잎"은 어느새 꽃 살점이 바위를 뚫어 "문자향"을 새기는 시간을 스스로에게 부여해왔다. 그것은 바위의 눈과 귀와 입과 마음이 그것을 온몸으로 받아들인 과정이기도 했다. 그때 시인은 내면의 고요한 바위에서 "빠져나가는 새의//저//날갯소리"를 듣는다. 이러한 자연 사물의 상호 공명 과정을 통해 시인은 "내 안의 피와 살과 뼈를 준"(「거울 속 한 송이 꽃」) 사물들을 만나고 "등을 낮추는 사랑"(「낙타를 타고」)을 통해 그 사물들로부터 "내가 받아 쓴 시"(「바다 도서관」)를 비로소 발견하게 된 것이다.

결국 한이나의 시는 섬세한 마음의 움직임을 담아가는 예술적 정수精髓를 보여준다. 서정시의 작법이 시간의 흐름에 의해 완성되고 작품을 향수하는 데도 시간의 흐름이 수반된다는 점에서 이러한 시간예술로서의 서정시의 속성은 남다른 연속성을 가진다. 하지만 생각을 달리 하면 시는 시간 자체를 대상으로 한다는 점에서도 시간예술로서의 규정을 충분히 감당해낸다. 삶의 순간적 파악에 기초한 언어예술로 서정시를 정의한다고 해도 마찬가지이다. 이때 순간이란 시간의 흐름이 온축되어 있는 '충만한 현재형'일 테니까 말이다. 그렇게 섬세한 마음의 움직임이 새겨가는 문자향의 순간을 담아내는 한이나 버전의 서정시편이 우리의 가슴을 한참 동안 울리고 있다.

7. 다양하기 그지없는 음역音域의 거대한 교향악

우리가 한이나 시편을 천천히 읽어가면서 느끼게 되는 것은 그가 여전히 삶을 중시하는 시인이라는 사실일 것이다. 일상에서 접할 수 있는 언어를 시의 문맥으로 흡수하여 거기에 자신만의 경험을 얹어가는 그의 혜안과 역량을 이제 우리 시단의 한 든든한 중추가 되기에 전혀 부족함이 없다. 독자들을 친화력 있는 공통 경험의 세계로 이끌어 들이는 흡인력을 가지면서 그의 시는 이제 시인 스스로 겪은 남다른 삶의 너비와 깊이를 적극적으로 함유해간다. 오랫동안 쌓아온 그 경험의 내질內質은 진정성 있는 삶을 향한 그리움과 깨달음으로 이루어진 것이고, 그만큼 그의 시는 그리움과 깨달음 사이에서 발원하고 있는 세계일 것이다. 그 세계에서 이처럼 다양하기 그지없는 음역音域의 거대한 교향악이 울리고 있다.

이제 한이나의 시는 시간과 기억이라는 두 가지 기둥을 근본으로 삼아 거기에 다양한 언어와 의장意匠을 장착해가는 섬세한 미학적 자의식으로 나아갈 것이다. 생성적 사유와 감각을 회복하는 일로 현저하게 무게중심을 할애해가면서, 지속적 자기 탐구와 타자들에 대한 관심을 결속해갈 것이다. 이러한 과제를 그는 특유의 엄정한 균형 감각 속에서 심화해갈 것이다. 자연스럽게 그 안에는 사물과의 다양한 교응交應을 통해 완미한 서정시의 미학을 이루어가려는 시인의 양식적 의지와 역량이 깊이 농울치게 될 것이다. 그리고 시인의 더할 수 없이 고요한 마음이 파동처럼 그려낸 예술적 원형들이 항구적으로 우리의 마음을 또한 오래도록 울려갈 것이다.

이제 우리는 시인으로서의 중간결산으로 태어난 이 아름다운 시선집 출간을 축하드리면서, 앞으로도 한이나 시학의 선명하고도 훤칠한 진경進境이 우리 시단에서 한없이 이어져 가기를, 개성적인 목소리와 형상으로 우리를 위안과 치유의 순간으로 이끌어주기를, 마음 깊이, 희원해본다.

한이나
청주 출생. 청주여고, 청주교육대학교 졸업.
1994년『현대시학』발표로 활동시작.
시집『물빛 식탁』,『플로리안 카페에서 쓴 편지』,『유리 자화상』,『첩첩단풍 속』,『능엄경 밖으로 사흘 가출』,『귀여리 시집』,『가끔은 조율이 필요하다』. 시선집『알맞은 그늘이 내가 될 때』.
서울문예상대상, 한국시문학상, 대한민국시인상대상, 영축문학상, 한국꽃문학상 수상.
2016 세종도서나눔 선정 (『유리자화상』).
한국시인협회 이사. 한국여성문인협회 이사. 한국문인협회 회원. 국제펜한국본부 회원. 카톨릭문협 회원.
E-mail: baulina103@hanmail.net

한이나 시선집
알맞은 그늘이 내가 될 때

2024년 3월 29일 초판 1쇄 발행

지 은 이 · 한이나
펴 낸 이 · 최단아
편집교정 · 정우진
펴 낸 곳 · 도서출판 서정시학
인 쇄 소 · ㈜ 상지사
주 소 · 서울시 서초구 서초중앙로 18, 504호 (서초쌍용플래티넘)
전 화 · 02-928-7016
팩 스 · 02-922-7017
이 메 일 · lyricpoetics@gmail.com
출판등록 · 209-91-66271

ISBN 979-11-92580-28-9 03810

계좌번호: 국민 070101-04-072847 최단아(서정시학)
값 17,000원